MAB HYNAF MUSUS WILIAS

MAB HYNAF MUSUS WILIAS

Cofio Gari

Gol: Myrddin ap Dafydd

GWASG Carreg Gwalch

Argraffiad cyntaf: Tachwedd 1996

ⓗ *Gwasg Carreg Gwalch*

Rhif Llyfr Safonol Rhyngwladol:
0-86381-399-2

Lluniau clawr drwy garedigrwydd S4C

Clawr: Alan Jones

Argraffwyd a chyhoeddwyd gan Wasg Carreg Gwalch,
Iard yr Orsaf, Llanrwst, LL26 0EH
☎ *(01492) 642031*

Diolch i'r canlynol am gymorth gwerthfawr gyda'r lluniau i'r gyfrol hon:
Hafwen Williams, Elwyn Williams, Bet Vaughan Williams,
S4C, Dilwyn Roberts, Glan Davies, Barri John, Recordiau Sain.

Cynnwys

Rhagair

'Da iawn chdi, stwff fel hyn sydd isio — rhyw betha i'r Aelwydydd a'r Ffermwyr Ifanc 'ma gael hwyl efo nhw. Nhw sy'n bwysig.'

Pwyso ar hen beiriant haearn bwrw yr oedd o — cyllell dorri papur hen ffasiwn oedd â'i llafn yn debycach i un lli draws yn hytrach na gilotin dorri papur. Yn adeilad cynta'r wasg yn ystod blwyddyn gynta'r wasg y bu hynny — os mai 'adeilad' yw'r gair cywir am gwt hanner sinc, hanner brics yn gollwng dŵr fel basged yn un o strydoedd cefn Llanrwst.

Cyfrol gynta'r wasg oedd dan sylw hefyd — cyfrol o ugain o sgetsys i'w perfformio mewn cystadlaethau, nosweithiau llawen neu er mwyn eu hwyl eu hunain. Roeddwn i, fel unig was y wasg a pherchennog y frênwef, wedi sgwennu at ddegau o ddiddanwyr a hen ffrindiau oedd o fewn hyd ffafr imi i ofyn am sgetsys gwreiddiol. Araf a thenau oedd yr ymateb ond ar droad y post, fel petai, nid llythyr a ddaeth o Fochdre ond Gari ei hun, ar ei ffordd i rywle, ond eto gyda digon o amser i bicio i mewn am sgwrs, rhoi'r byd ar ei drac cywir a tharo dwy sgets ffresh yn fy llaw.

Mynnodd nad oedd dim math o gydnabyddiaeth i fod:

'Dwi'n cael mwy o gic o wneud rhywbeth fel hyn na dim byd,' meddai.

1981 oedd hynny ac mi groesodd llwybrau'r ddau hogyn o Lanrwst sawl tro wedyn. Holi fydda hi fel arfer — holi am y clybiau ffermwyr ifanc, holi am rai o gymeriadau'r ardal ar ôl ymryson ffraethineb y papur bro, holi pa newydd yn Llanrwst, holi am yr awen a holi am y wasg. A chanmol. Ers dyddiau cyntefig Oes yr Haearn Bwrw, mi fu'n gefn ac yn galon bob tro y byddem yn cyfarfod.

Fo oedd y cyntaf imi ei weld ben bore'r Sadwrn cyntaf wedi imi ddod â llwyth fan a threlar i'r môr siocled a fu'n faes i Eisteddfod Abergwaun. 'Bechod, bechod,' oedd ei unig eiriau o. Meddwl am y gweithwyr lleol oedd wedi rhoi cymaint ac wedi edrych ymlaen cymaint yr oedd o. Mi wthiodd fy fan i pan aeth i dwll ac mi wn mai gwthio faniau ac estyn help llaw efo adlenni y bu o drwy'r dydd. Dair blynedd yn ddiweddarach, roedd yn ei elfen yn ei dref enedigol ei hun gyda'i Sioe Un Dyn yn y theatr fach, yn adrodd rhai o'i straeon am wariars y dre a gwneud yr hyn a wnâi orau: perfformio o flaen cynulleidfa fyw.

Emyr, Elwyn a William Davies (Taid Y Waen)
gyda chadair Eisteddfod Llanrwst 1957 o waith Harri Pierce.

Mi ddwedodd wrthyf droeon mai fo fasai'r dyn balchaf ar y maes y diwrnod y byddwn i'n codi i nôl cadair y Genedlaethol. Fel y dywed yn ei atgofion yn y gyfrol hon, roedd ei dad, Harri Pierce, yn saer cadeiriau ac roedd derw eisteddfodol yn golygu llawer iddo. Rhyw wythnos ar ôl imi dderbyn llythyr personol yn rhannu cyfrinach cadair Cwm Rhymni y clywais am farw Gari ac mi bylodd hynny dipyn go lew ar sglein y seremoni honno.

Mae gennym i gyd, o bob oed ac o bob cwr o Gymru, ein hatgofion am Gari a chafodd cyfranwyr y gyfrol hon hi'n hawdd iawn i dderbyn y gwahoddiad i gofnodi ambell atgof. Mae'n bleser rhannu'r meddyliau hynny yn awr, gan ddiolch i bawb am bob cymorth, ond yn fwyaf arbennig i Hafwen, i Elwyn am gefnogaeth lwyr ac i Lyn Jones am groniclo atgofion personol Gari.

Myrddin ap Dafydd

8

Llun cynnar
o Elinor, Elwyn ac Emyr

Llun o'r tri ar ddechrau'r wythdegau

Ysgol Llansannan — Emyr yw'r penfelyn yn y rhes flaen

9

LLANRWST, LLOEGER A CHYMRU

Atgofion Gari Williams ei hun

' "Cymru, Lloeger a Llanrwst" — dyna'r hen ddywediad, ond dwi am newid hwnnw i "Llanrwst, Lloeger a Chymru" achos dyna fu patrwm fy mywyd i.'

Gari Williams ar ddechrau ei Sioe Un Dyn, Eisteddfod Genedlaethol 1989

Plentyndod yn Llansannan

Mae'n anodd credu w'chi, ond dwi'n cofio'r dyddiad yn iawn 'te. Y degfed o Fawrth, mil naw pedwar chwech. Ro'n i'n digwydd bod yno ar y pryd. Rhan fach o'dd gen i i'w chwara a bod yn onest — ond ma'n rhaid dechra'n rhwla 'toes? Y prif chwaraewr oedd Nans Williams gyda Harri Pierce Williams yn chwara rhan gefnogol fel 'tae. Dyna'r diwrnod i mi wneud fy ymddangosiad cynta ar lwyfan Tŷ Capal Horeb, Brynrhydyrarian, Llansannan. Pedwar o'r gloch y pnawn oedd hi meddan nhw i mi. *Matineé* faso fo ma'n siŵr! Do'dd gen i ddim llawar o linella — ond y rhai o'dd gen i, mi wnes yn iawn yn ôl Mam — y sgrech draddodiadol yn dilyn chwip-din gan y fydreg. Fu gen i rioed lawar o barch at iwnifform o'r eiliad honno 'mlaen.

Y fi, Emyr, oedd y cynta i ymddangos, dair blynadd i'r diwrnod o flaen fy chwaer, Elinor, a chwe blynadd o flaen Elwyn 'y mrawd. Gyda bod yn gyntaf-anedig, mae'n debyg i mi greu tipyn o gynnwrf teuluol — oedd, roedd mab hyna Musus Wilias wedi cerdded i'r llwyfan!

Ella taw fa'ma 'di'r lle gora i nodi'r ffaith sy'n weddol hysbys i bawb drwy Gymru benbaladr, os nad y byd cyfa' crwn: bod Llansannan yn un o'r pentrefi mwya diwylliedig dan haul. Gall pobol y Rhos ddeud a fynnon nhw, gall pobol Llanbêr honni faint fynnon nhw, gall ardal y Cilie a Ffair Rhos hawlio pob math o safonau, ond mewn difri, fedran nhw'm dangos gola cannwyll i werin gyffredin, ffraeth, ddiwylliedig y Llan. Dyna 'chi haeriad! Nid rhyfyg mo hyn ar fy rhan i, mae o'n berffaith wir w'chi. Ac os fentrwch chi herio'r datganiad, mi ga' i Orig Williams — ac El Bandito i alw heibio i'ch perswadio chi 'mod i'n berffaith iawn. Diwylliant Llansannan fu'n ffrwythloni pridd y fro ers canrifoedd, yn paratoi cenhedlaeth ar ôl cenhedlaeth o hogia a genod. Mi ge's inna fy magu â'm traed ym mhridd y diwylliant hwnnw, a sugno maeth yn ogystal o gefndir cerddorol y teulu. Yn sicr roedd hynny yn wir am un ochr o'r teulu, ac mae 'na dystiolaeth i'm hen daid, Henry Vaughan Williams, dorri'i lais ar record ar un o'r silindrau crwn hynny o'r gorffennol, gyda recordiad o'r garol 'Roedd yn y wlad honno', 'nôl ar ddechra'r ganrif. Dyna 'chi Thomas Vaughan Williams wedyn, 'y nhaid, ac organydd cynta Capel Henry Rees yn Llansannan. Mi ddaeth yn gyfeilydd eisteddfodol prysur iawn, a chael 'i ddilyn gan f'ewyrth Arthur, Arthur Vaughan Williams, brawd 'nhad — ella taw fo 'di'r mwya adnabyddus ohonyn nhw i gyd yn niwedd yr ugeinfed ganrif. Bu'n gyfeilydd cyson i'r diweddar Richie Thomas, Penmachno mewn neuaddau a chapeli a stiwdios ar hyd a lled Cymru a thu hwnt, yn ogystal â bod yn arweinydd cymanfaoedd tra phoblogaidd a phrysur. Mae'n ddigon i mi nodi wrth basio, os bu gen i unrhyw ddoniau cerddorol o gwbwl yn ystod fy ngyrfa wrth dyfu'n ddyn, mai o'r gwreiddiau hyn a phridd y Llan y daeth y doniau hynny.

Roedd Thomas Vaughan Williams, ar wahân i fod yn ddiwylliedig a dysgedig mewn ffordd werinol, yn grefftwr heb 'i ail. Gwehydd oedd o, ac yn byw yn y Ffatri yn Llansannan, ac rwy'n cofio'r storïau difyr amdano yn hel 'i fasnach bob wythnos yn barod i'w throi hi am Ddinbach, gan mai fan'no oedd y farchnad fawr, a chyfle i werthu'r sana a'r crysa gwlân i gadw ffarmwrs a gweision ffermydd Sir Ddinbach yn gynnes yn ystod misoedd y gaea. Yng nghanol y prysurdeb beunyddiol o gynhyrchu dillad gwlân o bob math, roedd o hefyd yn rhoi gwersi piano i nifer o bobol ifanc yr ardal, ac yn ystod 'i gyfnod fel organydd yng Nghapal Henry Rees, bu wrthi hefyd yn dysgu sawl un i ymdopi â chyfriniaeth yr hen organ. Fe ddechreuis i ymhél ag achau'r teulu rywdro, ond ro'dd hwnnw yn waith rhy academaidd, ac ymhell o fod at fy nant i! Gadewais y gwaith hwnnw i Elwyn, ac mae El wedi llwyddo i fynd 'nôl mor bell â 1749, a hynny i Swydd Henffordd. Fyddech chi'n credu, er enghraifft, mai disgynyddion o deulu'r Symonds ydan ni fel teulu? Gŵr o'r enw William Symonds yn gadael Henffordd i weithio yn Ninbach gyda'r *Excise* yn y dre. Wedyn priodi, a chael merch fach, Anne a ddaeth yn 'i thro i fod yn wraig i Williams, a dyna ddechra'r llinyn hyd y gwyddom ni. Hen daid i mi oedd Henry Vaughan Williams, Henry yn dipyn o godwr canu yn eglwys Llansannan — ac fel y gallech chi ddisgwyl, eglwyswyr oedd y teulu i gyd bryd hynny. Mae'n debyg i ddynas weddol gefnog o Fanceinion benderfynu prynu organ i'r eglwys, a neb o'r aelodau yn meddu ar y ddawn i chwara'r offeryn. (Doedd na'm Radio Cymru bryd hynny i hysbysebu am organydd!) Felly, dyma Henry yn mynd ati i feistroli'r grefft o ganu'r organ, ac mi roedd ganddo lais derbyniol iawn hefyd. Y cyfuniad o'r ddeubeth hyn, mae'n siŵr gen i, wnaeth sicrhau ei fod yn recordio'r garol — ac fe geir troednodyn yng nghasgliad T. Gwynn Jones *Clychau Nadolig* yn cofnodi'r geirie hyn: '*This tune was collected by Lady Herbert Lewis and was sung into the phonograph by an old weaver, Henry Williams, The Factory, Rhydyrarian, Llansannan in 1913*'.

Ella mai Henry Vaughan Williams gydiodd ym mhen y llinyn arian felly, a chael ei ddilyn gan Taid a'i wersi piano. Pan gafodd Capel y Methodistiaid 'i adeiladu yn Llansannan, roedd 'na broblem yn eu hwynebu hwythau eto, fel yn yr eglwys genhedlaeth ne ddwy ynghynt! Doedd ganddyn nhw ddim organydd, a dyma Taid yn cytuno i lenwi'r bwlch. Dyna pryd y cawsom ni fel teulu ein diwygiad Methodistaidd — a throi yn Fethodistiaid. Colled aruthrol i Eglwys Loeger mae'n siŵr gen i! Yn reit naturiol, daeth Arthur ei fab i fri gyda'i wersi piano, gan ddilyn camrau Taid pan ddaeth yn organydd yn Llanrwst ymhen rhai blynyddoedd. Oedd, roedd 'na ddisgwyliadau cerddorol o fewn y teulu, ond am 'nhad, er 'i fod o'n gerddorol, yr unig offeryn oedd o'n arbenigwr arno oedd y lli goed! Daeth yntau yn arweinydd côr cymysg a chôr merched ym Mochdre flynyddoedd yn ddiweddarach, yn ogystal â bod yn arweinydd cymanfaoedd. Clust dda gan 'nhad, a dyn Sol-ffa — dyn y modiwletor oedd o. Rwy'n cofio'r teulu i gyd yn sôn am Yncl Arthur fel cerddor go arbennig pan oeddwn yn blentyn — wedi ennill medal arian am ganu'r piano pan nad oedd ond tair medal yn unig yn cael eu cyflwyno bob blwyddyn, ac Yncl Arthur, mae'n debyg, oedd yr unig un y tu allan i Goleg Cerdd wnaeth ennill marciau digonol i gael y fedal arian.

'Nôl at hanas y teulu. Wedi i Taid ymddeol, fe symudon nhw i'w cartra newydd — Y Gaerwen yng nghanol Llansannan. Yn Sir Fôn ma' hwnnw, meddach chi. Wel, ia, 'dach chi'n iawn. Gaerwen oedd cartra Nain yn ferch ifanc. Roedd teulu'r Wilias wedi ymgasglu yng nghanol y pentra. Taid a Nain yn Y Gaerwen, Taid a Nain arall yn Y Waun — byngalo bach i fyny'r ffordd, a ninna yn Pennant. Dwi'n cofio Taid Wilias yn anhapus iawn â'r defnydd a wnâi Elwyn o'i stôl biano. Ei throi wyneb i waered a'i throi yn 'i ddychymyg yn lori neu gar rasio. Ni ddaeth El yn nes at chwara na chanu'r piano! Dwi'n cofio meddwl bod

Thomas Vaughan Williams
— 'Taid Ffatri'

Harri Vaughan Williams
yn y Ffatri yn 1950

Emyr gyda'i fam a'i dad, Nance a Harri

Taid a Nain yn hen o'm cof cynta. Yn ddiweddarach mi 'nes i sylweddoli bod Taid wedi aros adra i weithio, a gofalu am 'i fam ynta tan 'i marwolaeth. Wedyn, priodi Nain yn 1915. Roedd Taid yn ddeugain oed pan gafodd 'nhad 'i eni.

Cof plentyn, o reidrwydd, sy' gen i am ddegawd cynta fy mywyd — degawd Llansannan — a llawar o'r dylanwadau yn rhai y ce's glywed amdanynt yn diweddarach — a'u hedliw yn aml gan eraill! Clywais fel chitha, dros y blynyddoedd, am sawl plentyn yn ymddwyn yn henaidd, ond mi dybia' i mai fi oedd yr unig faban gafodd 'i alw yn 'Taid' cyn dechra cerdded bron. Na, doedd gan hynny ddim i'w wneud â phrinder gwallt, gan 'mod i'n meddu ar lond pen o wallt gola bryd hynny — ond mae'n debyg 'mod i 'run ffunud â Taid ar ochor Mam, sef William Davies. Taid yn flaenor parchus yng Nghapal Henry Rees; Taid yn dipyn o sgwennwr, wedi ennill gwobra am sgwennu traethoda mewn eisteddfoda lleol. Fel deudis i, roedd 'na dipyn o ddiwylliant yn Llansannan, ac ella, rhwng naill ochor y teulu a'r llall, y ce's i rywfaint o'r maeth hwnnw. Yn sicr ddigon, dyna ble ce's i'm magwraeth.

Mae'n debyg 'mod i wedi diodde trawma anferth pan oeddwn ond ychydig fisoedd oed. Mi fasa Freud a Jung a rhyw bobol beniog felly yn siŵr o ddeud bod y digwyddiad wedi dylanwadu'n fawr arna' i yn nes ymlaen. Roedd Mam wedi mynd â mi yn y pram i ymweld â Nain a Taid — lawr y lôn i'n tŷ ni. I fynd i'r Felin roedd yn rhaid mynd drwy'r giât ar ôl 'i hagor, yna ar hyd y llwybr oedd yn arwain ar i lawr at y tŷ. Mam yn agor y giât, gwthio'r pram a'r pasinjyr bach drwy'r bwlch, yna gadael y pram a throi 'nôl i gau'r giât. Pan drodd hithau 'nôl, doedd y pram ddim yno. Roedd fy ngherbyd yn 'i charlamu ar wib yn syth am y nant oedd yn rhedeg wrth ochor y Felin. Mam yn sgrechian a charlamu ar fy ôl, a'r pram yn fflio'n ddidrugaredd yn 'i flaen am y dyfroedd. Mi laniodd y pram ar 'i bedair olwyn yn dwt yn y dŵr. Coesa Mam fel jeli — a beth amdana' i? Roedd hi'n amlwg y byddwn i'n eitha boi am sbîd! Ro'n i'n gyrglo'n hapus braf meddan nhw. Rhaid i mi 'u credu nhw on'd oes?!

Roeddwn i'n naw oed pan symudodd y teulu o Lansannan. Er bod gen i syniad 'mod i'n mynd drwy brofiad trist ar un olwg, roedd o'n ddiwrnod o antur rhyfeddol yn ogystal. Roedd yn fore cofiadwy ganol y pumdegau. Yn yr ardal acw, does 'na ddim *Pickfords* neu, os oedd 'na, roedd o'n rhy ddrud beth bynnag, felly, lori wartheg fawr — wedi'i golchi a'i sgrwbio'n lân cofiwch — oedd wedi'i pharcio o flaen y tŷ, a'r dodrefn i gyd yn cael ei lwytho yn ofalus i'w chrombil. Wedi'r llwytho dyfal i'r tryc, a gweld honno'n diflannu rownd y gongl, llwytho *shooting brake* 'nhad gyda'r manion wedyn, a Mam a 'nhad a minna yn gwasgu ein hunain i fewn. Roedd y tŷ yn wag ar wahân i'r stôl odro oedd ganddon ni — mi gâi honno ddod yn ddiweddarach. Sbio allan drwy ffenast y brêc, a gweld pen Elwyn yn ymddangos yn ffenast y tŷ — yn sefyll ar ben y stôl odro, yna pen Elinor yn ymddangos wrth ochor hwnnw. Y ddau yn codi'u dwylo a golwg fach drist arnyn nhw fel tasan nhw'n cael 'u gadal am byth! Finna wedi 'ngwasgu yn dynn rhwng toman o ddillad gwlâu a chotia mawr 'nhad — ac ogla *mothballs* yn hongian o gwmpas fy ffroena. Ymhen milltir ne' ddwy, dal i fyny â'r lori wartheg a honno yn fwg i gyd wrth dynnu'i ffordd tuag at Lanrwst. Ew, ro'n i'n teimlo'n ddyn. Elwyn ac Elinor yn gorfod aros yng nghwmni Nain, a minna, mae'n siŵr, yn ddigon hen i allu helpu i gario y ddau ben. Erbyn meddwl, ma'n siŵr gen i mai tipyn o niwsans fu fy ymdrech i gynorthwyo! Yr unig go' arall sgin i am y daith ydi'r ogla mwg o'r lori o'n blaenau, ond roedd y daith ugain milltir yn gyfystyr â thaith i ben draw'r byd i hogyn bach naw mlwydd oed. O berfeddion cefn gwlad i dref oedd mor anferth â Llundain yn fy nychymyg bach byw. Roeddwn i ar fin troi yn un o hogia dre!!

Un o Hogia Dre

Roedd cyrraedd Llanrwst yn dipyn o antur i mi w'chi. Rhif Deg Stryd Watling, Llanrwst — dyna 'chi gyfeiriad â thinc o safon yn perthyn iddo. Clamp o dŷ mawr, digon o faint i alw 'chi' arno fo. Tri llawr yn ymestyn i'r entrychion. Roedd o fel castall, a phan oedd isio'i lanhau o, mae'n siŵr bod Mam yn teimlo mai castall go iawn oedd o. Un o'r rhesyma dros symud i Lanrwst oedd bod gweithdy 'nhad yn digwydd bod yn y dre, a thipyn o niwsans oedd teithio bob bora a nos yn ôl a blaen o Lansannan. Doedd hi ddim yn anodd i hogyn ymsefydlu yn Llanrwst, er i mi gadw'n glòs at hogia'r wlad. Hogia Melin-y-coed a Chapal Garmon oedd 'y mêts i yn Ysgol Watling Street.

Mil naw pum pedwar oedd hi pan welais i dre Llanrwst am y tro cynta, wrth ddod lawr y Tyrpag Ucha, drwy Dafarnyfedw yn y lori warteg — y lori leifstoc. Fel deudis i, hyd yn oed os oedd *Pickfords* o gwmpas, fedra neb eu fforddio nhw yn Llansannan, a ph'run bynnag, mi roedd yn draddodiad mai mewn lori leifstoc y byddai pawb yn cario dodrefn 'te! Dau beth pwysig sy'n aros yn y cof am y diwrnod symud hwnnw: y cynta oedd sylweddoli pa mor fawr oedd tre Llanrwst o'i chymharu â phentra Llansannan, a'r eilbeth oedd sylweddoli bod cymaint o'r bobol oedd yn cerdded strydoedd Llanrwst yn siarad rhyw iaith arall, iaith hollol ddiarth i mi. Dyma'r tro cynta i mi glywed Saesneg go iawn. Ar ôl bywyd hapus mewn pentra am dros wyth mlynedd, roeddwn yn sydyn yn byw mewn stryd lle'r oedd yna siop y Co-op, siop gig, siop dillad merched, siop tships, siop dillad ail-law, heb sôn am siop y ddynas gwerthu *roll-on's!* — a wyddoch chi, dim ond un stryd oedd hon — roedd 'na lawer o strydoedd yr un fath. Dyna i chi sefyllfa drawmatig i hogyn wyth oed. Wedi'r cwbwl, dim ond tair siop ac un swyddfa bost oedd yn Llansannan i gyd. Roedd y stryd newydd yma'n dre, a'r dre yn ddiamheuol yn ddinas.

Y tu ôl i'n stryd ni roedd 'na res o dai. Dyma Bac Wat. (Ia, mi wn i, *Back of Watling Street* oedd yr enw swyddogol — ond roedd Bac Wat yn swnio'n llawer mwy anturus a chyfrin). Dyma'r lle oedd yn ymdebygu i Scotland Road yn Lerpwl, medda rhyw fodryb i mi pan ddaeth i ymweld â ni rhywdro. Dyna pam nad oedd Mam yn rhy awyddus i mi gael mynd i chwara efo plant Bac Wat — er na wnaeth hi ddweud hynny erioed yn uniongyrchol, cofiwch. Fe dde's i i ddeall ei rhesymeg yn ddiweddarach. Plant calad oedd y rhain. Calad? Ma' rhaid 'u bod nhw, roeddan nhw wastad yn cerdded o gwmpas heb na sana na sgidia, gaea a ha' yn union 'run fath. Erbyn meddwl, anamal iawn byddan nhw yn gwisgo cotia chwaith. Ni'n tri mewn sî-bŵts sgleiniog du, cotia gaea rhag y glaw a sgarffia am y'n gyddfa rhag yr oerfel. A phwy fydda'n dal annwyd pob gaea? 'Dach chi'n iawn — ni, bob tro! Oeddan, mi roeddan nhw'n griw calad, tyff. Dyna 'chi'r hogyn oedd yn byw yn Tŷ Pen. Bobi oedd 'i enw o. Bobi Socs. Hyd heddiw sgin i'm syniad be oedd 'i s'nâm iawn o. Fel Bobi Socs oedd o'n cael 'i adnabod gan bawb yn y dre. Yn ôl Mam, un o'r Ifaciwîs oedd o. Doedd gen i ddim syniad beth oedd ystyr hynny ar y pryd — os nad oedd o'n Bobi Ifaciwî, a'r s'nâm hwnnw yn rhy anodd i hogia ei gofio! Roedd Bobi yn hogyn hoffus ac annwyl — ond 'i fod o'n digwydd byw yn y rhan anghywir o'r dre. Fe ddown ni'n ôl at Bobi eto cyn diwadd y bennod 'ma.

Hogyn o'r wlad oeddwn i, a wnes i rioed beidio â bod yn un ohonyn nhw. Yn yr ysgol bob dydd, chwara efo hogia'r wlad, ac yna cael cweir gan hogia'r dre bob nos. Buan iawn y dysges i fod yn rhaid gwneud rhywbeth ynglŷn â'r sefyllfa-sitiweshyn, chwedl Ifas y Tryc. Ni fu raid i mi ddisgwyl yn hir. Mi dde's ar draws Fferm Brongerddi, a'r

Y ddau frawd, a Harri Vaughan Williams gyda'r plant mewn cwch tywod ar draeth Morfa Bychan, Awst 1957. Emyr sydd wrth y llyw.

Emyr gyda llond pen o gyrls

Emyr gydag Elsie, ei gyfnither ac Elinor ei chwaer, yn chwarae 'canu piano' ar fainc yng nghefn Llys Cerdd, Llanrwst, Haf 1950.

perchennog hawddgar George, y diweddar George Jones bellach. Dyna ichi Gymro, dyna ichi werinwr, a dyna ichi gyfaill. Dyn ceffyla oedd George, a'i fyd o yn troi o gwmpas ceffyla o bob math. Hwn oedd y gŵr a aeth â mi, yng nghwmni'i fab, Dewi, i Ffair Borth am y tro cynta rioed — dyna ichi brofiad. Dewi a minna yn dyheu am grwydro drwy'r ffair a mynd ar y swings a'r rowndabowts ac ati, a George yn trio'n perswadio ni mai ffair geffyla oedd Ffair Borth mewn difri. Gwastraff arian oedd y gwagedd eraill o gwmpas y strydoedd culion. Roedd gweld Porthaethwy a'r ffair yn gwneud i mi deimlo mai dyma lle roeddwn i eisie byw ynddo. Os oedd 'na ffair fel hyn yno rownd y flwyddyn, dyna beth fyddai paradwys! Tan i rhywun egluro mai am ychydig ddiwrnodau yn unig roedd y ffair yn bodoli. Mae pawb yn Llanrwst sy'n cofio George hefyd yn cofio yr enwog Nans. Nans oedd y ferlen oedd ganddo i dynnu'r fflôt laeth o gwmpas y dre. Os oedd yr ardalwyr yn adnabod Nans, mi roedd Nans yn sicr yn adnabod ei hardal. Doedd neb yn arwain Nans. Roedd hi'n mynd o stryd i stryd, yn gwybod ble i droi, yn gwybod ble i stopio, ac yn ymateb, mae'n siŵr gen i, i sŵn traed ei meistr. Nid cario'r caniau llefrith yn unig a wnâi'r drol, roedd casgliad o ddwsin ohonom ni blant ynddi yn ogystal. A neb yn barod i gyfadde bod arnom ni ofn o gwbwl, er bod yr arfer o ddringo a disgyn o'r drol pan oedd honno'n dal i symud yn her i bob un ohonom ni. George, yn adnabod 'i ddilynwyr yn dda, ac yn gwybod pryd i roi gwên, a phryd i roi gwg — doedd dim angen codi llais na cholli tymer, a phob un ohonom ni yn meddwl y byd o George, Nans a'r antur foreol yn y drol.

Roedd 'nhad wedi dod i adnabod llawer o bobol yn y dre drwy'i weithdy dros y blynyddoedd, ac yn ogystal â bod yn gapelwr selog, roedd yn aelod blaenllaw o Glwb yr Efail — clwb diwylliannol llewyrchus yn Llanrwst, ac wrth ei fodd yn gweld y plant yn mynd i Ysgol Stryd Watling, gan mai'r prifathro yn fan'no oedd Robat Jones. Fo, mewn gwirionedd, *oedd* Steddfod Llanrwst, yn arweinydd bro go iawn, ac yn dipyn o seicolegydd — fel sy' rhaid i bob prifathro da fod mae'n siŵr gen i. Os nad oedd plentyn yn sefyll yr enwog arswydus 11+, byddai'n cael aros yn Ysgol Watling nes ei bod hi'n amsar gadael ysgol. Dyna fu fy hanas i. Roeddwn i'n meddu ar dipyn o lais soprano, ac wedi dechra hel eisteddfoda lleol — a llond pen o wallt cyrliog melyn. Oedd, mi roedd gen i rhyw apêl, medda Mam. Mi fasa hi'n deud hynny basa! Rhyw ychydig fisoedd cyn yr 11+ bondigrybwyll mi roedd Robat Jones yn gosod prawf i bob un o'r oedran iawn i sefyll, a chanlyniadau'r prawf hwnnw oedd yn penderfynu a oedd unrhyw bwrpas sefyll yr arholiad. Wnes i ddim sefyll yr 11+ — faint o fethu bwriadol? Faint o ddylanwad Robat Jones? Anodd dweud bellach. Yn sicr doeddwn i ddim yn malio rhyw lawar ac yn ddigon hapus i ddal ati yn academi Robat Jones. Roedd hi'n weddol amlwg nad oedd y byd academaidd yn debyg o apelio ata' i beth bynnag. Fel aeth y blynyddoedd yn eu blaenau ni wnes i rioed ofidio nad oeddwn i yn un o'r criw galluog ymenyddol hynny. Yr unig beth dwi'n ei gofio ydi i mi weld eisie rhai o'm ffrindia a aeth yn 'u blaena. Un hogyn yn arbennig, hogyn o'r enw Dafydd Elis Thomas a oedd yn dipyn o fêt. Fe ddaeth o i amlygrwydd academaidd a gwleidyddol yn nes ymlaen.

Ia, colli rhai o 'mêts oedd y peth gwaetha. Ond o ran aros yn Ysgol Watling, roedd 'na lawer i'w groesawu. Fi o'dd nymbar wan yr ysgol. Minister for Agricultshar yn Watling Street! Ac mi roedd 'na gronfa sbeshal ar gyfer yr ochr honno o waith yr ysgol. Yng ngardd yr ysgol roedd 'na hen gwt mochyn, cwt mochyn hen ffasiwn, ac o'r hyn dwi'n 'i gofio, erbyn y flwyddyn ola yn yr ysgol — fform ffeif 'de, roedd pob bachgen yn dod â hanner coron i'r ysgol, er mwyn prynu dau fochyn neu ddwy hwch — gan ddibynnu'n hollol be fydda yn Cae Sêl y diwrnod hwnnw — ac yna pesgi'r moch drwy'r tymor. Wedyn ar ddiwedd y tymor, gwerthu'r ddau, a rhannu'r elw. Rhyw fath ar stoc ecstshenj Llanrwst. Dwi'n cofio'n iawn i mi un tro dderbyn dwy bunt a fy hanner coron yn ôl. Rhwbath i'w neud â dysgu syms oedd hyn meddan nhw i mi. Tipyn o dir diffaith oedd hwnnw i mi mae arna' i ofn.

Doedd gofalu am y moch ddim yn broblem o ddydd Llun i ddydd Gwener, wedi'r cwbwl, hogia'r wlad oedd llawer o hogia'r ysgol, a toedd hogia'r ffermydd yn ymwneud yn iawn â'r moch? Dydd Sadwrn a'r Sul oedd y broblem — doedd gan rai ohonom ni ddim syniad pa ben o'r hwch oedd yn bwyta, a pha ben oedd yn . . . wel, heb sôn am ddim arall. Droeon ar fore Llun roedd rhai o hogia'r dre yn cael 'u waldio am gamdrin y moch. Ar brynhawn Sul y cefais i fy mhroblem go iawn. Pump o'r gloch yn y prynhawn i fod yn fanwl gywir — a ninnau yn ein dillad parch yn cicio'n sodlau yn barod i fynd i'r capel nos. Roedd yna reolau ar y Sul, a rheiny yn reolau pendant iawn. Chaen ni wneud fawr ddim, dim mynd ar gefn beic, dim cicio ffwtbol — neu mi ddeuai'r llaw flewog fawr i lawr ar ein gwarrau. Nid llaw flewog ddaeth i lawr y prynhawn hwnnw chwaith, ond Leonard 52 i ofyn a fedrwn i roi cymorth iddo gyda'r moch. Roedd Len bach wedi dod i'r casgliad, gan 'mod i'n chwara efo hogia'r wlad, bod gen i wybodaeth drylwyr am sut i ddelio efo moch. Do, mi wnaeth Leonard ddweud wrtha' i am newid fy siwt, a finna yr un mor bendant yn dweud na fyddai'n rhaid i mi fynd yn bellach na drws y cwt i ddadansoddi'r broblem. A dyna fyddwn i wedi'i wneud, oni bai i mi glywed rhyw sŵn annaearol yn dod o du mewn yr hen gwt mochyn.

Fedrwn i ddim dweud, yn ôl y sŵn, p'run ai Len 'ta'r moch oedd yn ennill, tan i mi glywed Len yn gweiddi fy enw — a sylweddoli mai Len oedd yn colli. Mi neidies dros y drws isaf, a glanio ar fy hyd mewn . . . roedd hi'n amlwg nad oedd Len wedi carthu'r cwt! Chydig o go' sy' gen i o'r munudau nesa, hynny ydi, nes i Len yn gynta, a'r ddau fochyn yn dynn wrth 'i sodla 'i sgrialu hi allan o'r cwt ac ar fy nhraws i. Roedd hi'n ddigon drwg 'mod i wedi baeddu'n siwt capal, ond rŵan roedd coes un o'r moch wedi mynd lawr ffrynt fy nghrys — ac i wneud pethau'n waeth fyth, roedd hi'n chwartar i chwech. A finna heb y galon — a dweud y gwir, roedd gen i lond bol o ofn — mynd adra yn lle mynd i'r capal. Camgymeriad mawr! Mae'n amlwg bod Mr Jones gofalwr y capal wedi ama bod rhwbath o'i le, achos doedd o rioed wedi 'ngweld i yn cyrraedd ddeng munud yn fuan o'r blaen. Mi eisteddais yn dawel ym mhen pella'r sedd, yn gwenu ar hwn a'r llall wrth iddynt ddod i mewn. Yn anffodus, toeddwn i ddim wedi ystyried y beipen ddŵr poeth oedd yn gorwedd o dan fy nhroed dde. Fe wyddoch yn iawn be sy'n digwydd pan fo gwres yn codi. A toes 'na ddim byd gwaeth nag ogla moch yn codi gyda gwres. Fe lwyddais i wagio ochor chwith Capel Seion — rhai allan i'r awyr iach, a'r dewra yn symud i ochor dde'r capal. Mae gen i go' clir iawn o Mam yn fy llusgo allan yn ystod y weddi a rhoi bonclust ar ôl bonclust i mi yr holl ffordd yn ôl i Stryd Watling. Na, tydi moch a fi rioed wedi deall y'n gilydd yn dda iawn.

Dwi'n cofio digwyddiad arall gyda moch — a phrynhawn Sul oedd hwnnw hefyd. Syndod 'mod i'n bwyta porc a bacwn o gwbwl 'deud y gwir! Ar y ffordd i'r Ysgol Sul oeddwn i, ac yn cyrraedd cornel E.B. Jones. (Tydi E.B. ddim yno ers blynyddoedd, siop antîcs sy' yno bellach. Tydi amsar 'di newid petha dwch?) Beth bynnag, 'nôl at yr hwch. Fel roeddwn i ar fy ffordd i'r Ysgol Sul, beth ddaeth i'n cwrdd ni ond hwch George — George Jones, Brongerddi — yr hwch, mae'n amlwg, wedi dianc o'r cae wrth y pictiwrs lle mae swyddfa'r heddlu

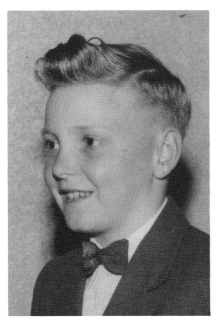

Cystadlu'n ifanc yn yr Urdd

Ym mhanto'r 'Girl Guides'!

Ysgol Llanrwst — ei geg yn agored fel arfer yn y rhes gefn

rŵan, ac am fynd am dro bach i weld pwy oedd ar y sgwâr ar brynhawn Sul. Welodd yr un ohonan ni yr Ysgol Sul y pnawn hwnnw. Toeddan ni i gyd yn credu taw'r peth Cristnogol i'w wneud oedd mynd â'r hwch yn ôl i'w phriod le. Do, mi gawson hi yn ôl i'w chae tua hanner awr wedi pump . . . Mi fedran fod wedi'i chael yn ôl erbyn hanner awr wedi dau, ond dyna fo, roedd yn werth chwip-din i gael hwyl hwio ar hyd strydoedd Llanrwst am brynhawn cyfan. Wedi'r cwbwl, mi gafodd yr hen hwch gyfla i weld dipyn ar y dre am chydig oria. Na, tydi moch rioed wedi bod yn betha lwcus i mi.

Mi addewais y byddwn yn cyfeirio cyn diwedd y bennod at Bobi Socs eto. Roedd Bobi, os nad yn ddim arall, yn rhyfeddol o boblogaidd gan yr hogia i gyd. Roedd ei agwedd anturus yn rhywbeth i'w groesawu — roedd yn arwr am ei ddewrder, ei fenter, a'i agwedd at awdurdod. Dwi'n cofio yn arbennig amdano fo un haf poeth. Wedi meddwl, pan ydach chi'n wyth oed, on'd ydi pob haf yn haf poeth? Ta waeth, mis Mehefin oedd hi, y mis yn flynyddol pan fyddai rhieni pob plentyn yn Llanrwst yn siarsio'u cywion i beidio mynd ar gyfyl afon Conwy rhag ofn iddyn nhw foddi. Nid felly Bobi. Am ei fod yn byw efo'i nain, ma'n siŵr. Dwi'n cofio meddwl pa mor braf fasa hi i minnau fyw efo Nain, tan i mi sylweddoli mai y ffordd arall oedd hi efo ni. Roedd Nain yn byw efo ni!! Ia, dyna oedd y gwahaniaeth.

Bob diwrnod heulog poeth, yr hyn a welen ni oedd Bobi yn taflu'i hun i'r dŵr wrth ymyl y Bont Fawr, ac yn nofio i gyfeiriad Trefriw — a hynny yn 'i drôns. Arwr? Tewch â sôn, roedd hwn yn hogyn a hanner. Yn y lle cynta, doedd 'na neb ohonan ni yn gallu nofio llathan, heb sôn am nofio i gyfeiriad Trefriw. Roedd hwn yn bencampwr. Nid dim ond y ni fel hogia oedd yn mwynhau gwylio campau Bobi — roedd y fisitors hwythau wrth 'u boddau, a mawr fyddai ei wobr yn ddyddiol. Dwi'n sicr tasa Bobi o gwmpas heddiw, buasai'r Bwrdd Croeso yn siŵr o roi grant iddo fo.

Bryd hynny, islaw gardd Gwesty'r Eryrod — *Eagles* fu'r lle i bobol dre erioed gyda llaw, ac *Eagles* fydd o am wn i — roedd y beipen garthffosiaeth fawr yn dod o'r dre i adael y carthion i afon Conwy. Wn i ddim a oedd pobol Trefriw a Dolgarrog yn ymwybodol hollol o hynny ai peidio? Roedd Bobi, yn amlwg yn meddu ar ben busnes da heb sôn am fod yn eofn, wedi sylweddoli bod y fan hon yn lle arbennig o dda i wneud pres o'r fisitors rhyfedd fyddai'n ymgasglu ar lan yr afon yn y man arbennig. Po agosa fyth yr âi o at ben y beipen, mwya i gyd fyddai'r enillion. Betio fyddai prif sail y weithred, ac unwaith mi gofiaf iddo ennill punt am ei wrhydri — a rhoi ei ben i fyny ceg y beipen. Tydi rhywun yn cofio petha dwl dwch?

Bob dydd Mawrth mi fyddai'r rhan fwya o fechgyn y dre yn mynd i bysgota i'r afon — ac er na fyddai 'run ohonom yn dal unrhyw fath o bysgodyn, mi fyddai pob un ohonom yn mynd adre â lleden neu fflatffish. Tybed oedd ein rhieni mor wirioneddol dwp? Roedd y pysgod wedi eu hagor a'u llnau ac yn barod i'r badell ffrio. Pan ddoi y dyn hwnnw o Gonwy, hwnnw oedd wedi bod yn gweiddi '*Fresh Fish*' o gwmpas y dre, allan o far yr *Eagles*, roedd ei drol bysgod yn berffaith wag. Synnwn i fawr nad oedd Bobi yn crwydro rhai o'r strydoedd yn gwerthu'r pysgod i rai o drefolion mwya naïf Llanrwst!

Oedd, roedd bywyd yn llawn hwyl ac antur i blentyn yn Llanrwst, ac mewn ffordd, roedd pob un ohonom ni yn cael ein trwytho i fod yn aelodau llawn o'r gymdeithas ar bob achlysur, boed drwy ofalu am ddau fochyn yng nghwt moch yr ysgol, neu drwy fod o ddefnydd ar adegau gwahanol o'r flwyddyn. Mi wnes sôn nad oedd moch a finnau yn deall y'n gilydd, wel mi roedd athrawon yr ysgol yn deall 'i gilydd yn iawn pan ddoi'n amser i lanhau cae'r ysgol ar ôl i Eisteddfod Gadeiriol Llanrwst gael ei chynnal yno bob blwyddyn. Mi fyddem ni blant yn cael y'n tywys i'r cae ar y bore Llun ar ôl yr eisteddfod i gasglu'r sbwriel, a bob blwyddyn yn ddi-ffael, eiliadau cyn i ni ddechrau casglu holl sbwriel eisteddfodwyr difeddwl Gogledd Cymru, mi fyddai un o'r athrawon — nid un o'r plant sylwer — yn darganfod arian yn y glaswellt, ac wrth gwrs, byddai'r fargen yn cael ei tharo, pwy bynnag fyddai'n dod o hyd i bres wrth glirio'r cae, fyddai'n cael ei gadw. Does gen i ddim cof i unrhyw un ohonom ni'r plant ddod ar draws hyd yn oed darn chwe cheiniog ar y cae, ond roedd yn werth gweld y cae yn cael ei glirio mewn amser byr iawn. Seicoleg fyddai'r gair crand amdano bellach, mae'n siŵr. Yn fy marn i, adnabod y cwsmeriaid oedd camp yr athrawon, camp y byddwn i yn ceisio ei methrin gyda chynulleidfaoedd ymhen rhai blynyddoedd.

Dyma'r cyfnod pan ddechreues i wneud giamocs o flaen y drych yn y llofft, ac esgus dal meicroffon yn fy llaw. Dyma'r cyfnod pan oeddwn wrth fy modd yn perfformio ar lwyfan anferthol Fernlea, i gyfeiliant cerddorfeydd a chynulleidfaoedd anferth. Dyma'r cyfnod hefyd — gan 'mod i wedi sôn am eisteddfod fawr Llanrwst — pan y byddwn i yn blentyn yn sbio arnyn nhw yn codi'r babell fawr o ffenast y sgeileit, pan ddyliwn i fod yn 'y ngwely, ac yna clywed y cystadlu yn hwyr y nos, sefyll ar ben y gwely i sbio ar y cysgodion drwy'r cynfas, a dyheu am gael bod yno ar y llwyfan. Dwi'n cofio, pan oeddwn i'n un ar bymtheg oed, fod y babell fawr wedi rhwygo mewn storm anferth dros nos, a hynny noson cyn i ŵr ifanc ar ddechrau ei yrfa — Stuart Burrows — ganu yn y cyngerdd mawreddog a'r Gymanfa ar y nos Sul. Rwy'n cofio'r gŵr hwnnw yn curo ar ddrws tŷ ni, wedi cyrraedd Llanrwst — a'r cyfan yn cael 'i ohirio am dair wythnos. Dyna'r steddfod hiraf gynhaliwyd erioed!

O gofio am Eisteddfod Gadeiriol Llanrwst, fy ewythr Arthur oedd yr ysgrifennydd, a bu 'nhad wrthi yn brysur yn cynllunio a cherfio tair ar ddeg o gadeiriau ar gyfer yr eisteddfod. Mae gen i gof clir o glywed Mam yn diolch fwy nag unwaith ar y nos Iau cyn yr eisteddfod nad oedd neb ohonom ni yn feirdd, pan ddoi 'nhad â'r gadair i'r tŷ i gael rhoi polish arni, i'w sgleinio ar gyfer y penwythnos. Rhaid cyfaddef y byddwn i yn fwy na hapus i roi fy nwylo ar un o'r cadeiriau hynny heddiw i'w cadw yn y tŷ acw. Ella y gwnaiff rhywun ffônio Bangor 361361 rhyw fore Mawrth, ac y caf fy nymuniad.

Roedd yna ddefodau pwysig i'w dilyn yn flynyddol yn arwain at yr eisteddfod. Tua thair wythnos cyn y digwyddiad, mi fyddai Mam yn dechrau swnian — bod rhaid gwyngalchu cefn y tŷ er mwyn cael y lle yn daclus, a 'nhad yn herio drwy ddweud bod yna bobol yn dod i'r steddfod i ddim ond edrych ar gefn y'n tŷ ni! Wil Cae Ceiliog fyddai'n cael y cytundeb blynyddol i gwblhau'r gwaith. Roedd Wil yn gymeriad hoffus iawn, ac yn arfer cnoi baco; yn wir, gallai Wil boeri baco o'i geg a tharo targed ganllath i ffwrdd mewn storm — neu o leia ymddangosai felly i lanc naw oed. Yn ôl 'nhad, mi wnaeth Wil fwy i'r diwydiant gwyngalch nag a wnaeth Winston Churchill i fusnes *conscientious objectors*. Wnes i ddim deall ystyr hynny am flynyddoedd lawer, ond mi wnes ddeall bod y cyfeiriad at ddosbarthiad y gwyngalch gan Wil. Roedd yna fwy o wyngalch ar Wil, ar lawr, a dweud y gwir roedd yna fwy ym mhob man nag ar y wal. Un peth oedd yn sicr, nid ar gryfder ei allu i baentio y câi Wil y cytundeb, ond ar gryfder ei ddawn i ddweud stori wrth y bwrdd swper. Yno y byddem ni fel teulu yn eistedd yn geg agored, yn dal wrth bob gair a ddeuai o'i enau, yn gwrando ar Wil yn adrodd ei hanes pan yn ifanc. Wrth i mi dyfu'n hŷn, mi dde's i sylweddoli bod gan Wil apêl i'r rhyw deg, wedi bod yn dipyn o ddyn yn 'i ieuenctid a dweud y lleia, ac mi fyddai wrth ei fodd yn adrodd

Tîm gymnasteg Ysgol Watling, Llanrwst
— am ryw reswm, Emyr yw'r unig aelod sy'n gwisgo crys!

Emyr (yn y canol) gyda'r criw yng ngwersyll Llangrannog.

hanesion wrth Mam am rai o'i anturiaethau — a ninnau'n teimlo ei bod yn anrhydedd ac yn fraint i ni gael gwrando ar ei ddawn cyfarwydd. Ar ddiwedd pob paragraff deuai'r cwestiwn 'Ydach chi'n deall, tydach Mrs Wilias?' Dwi'n 'i weld o rŵan yn pwyso 'mlaen ar y bwrdd swper, gyda'r un daint hwnnw ynghanol 'i geg. Ac o'r geg honno y clywais i jôc y *'central eating'* am y tro cynta erioed!

Stori fawr Wil oedd yr un am Eisteddfod Pandy Tudur, pan oedd yntau, fel sawl gŵr ifanc arall tebyg iddo, wedi mynd yno i edrych am fachiad. 'Yn sydyn, Mrs Wilias,' medde Wil, 'dyma fi'n gweld rhywun yn mynd i fyny'r allt, a heb ddweud dim wrth yr hogia eraill, dyma'i heglu hi ar 'i hol hi, a rhoi 'mraich o gwmpas y pen ôl lyfli yna. Be ge's i? Cythral o slap nes 'mod i'n gweld sêr.'

'Wel wir, Wil, pwy oedd hi felly?'

'Hen blison mawr Llangernyw, neb llai!'

Na, tydi Wil a'i debyg ddim hefo ni bellach, gwaetha'r modd. Nosweithiau difyr o wrando oedd nosweithiau plentyndod.

A minnau? Yn bymtheg oed, dyma adael yr ysgol a mynd i weithio. O'r enillion hynny, mi rown bumpunt i Mam am fy nghadw. Dyna'r amser pan y gallwn i fynd allan ar nos Sadwrn â phapur chweugain yn 'y mhoced, a dod adre efo newid. Dyna'r amser y dois i ddechrau adnabod mainc y saer am y tro cynta.

Gweithio am Bres

Do mi wnes i fwynhau fy nghyfnod yn yr ysgol. Mae Elwyn 'y mrawd wedi edliw i mi droeon iddo orfod tyfu i fyny yn fy nghysgod i. Roedden NHW yn teimlo bod gen i rhyw ddawn dweud stori, ac ar ddiwrnodau glawog yn Llanrwst cofiaf yn iawn i'r athrawon fynd ati i alw'r plant i'r stafell fwya yn yr ysgol dros amser chwara, a minna yn mynd trwy 'mhetha yn deud storiau. Cofiaf i Miss Williams wneud yr un peth gydag El — a hwnnw'n beichio crio. Ydan, mi rydan ni i gyd yn wahanol. Cofiwch chi, pêl-droed oedd fy mhrif ddiddordeb, ac ro'n i wrth fy modd yn chwara i dîm ysgol Llanrwst ac i dîm y Ffermwyr Ieuainc. Anodd credu bellach, ond mi fûm i yn aelod o dîm gymnasteg yr ysgol yn ogystal — ac ma' gen i lun i brofi hynny i'r Tomosied ymhlith y darllenwyr.

Yn 1964, mi aeth Dafydd Êl a minnau ati i wneud rhyw gyfres o sgetsus. Dafydd oedd y dynwaredwr addawol bryd hynny, ac mae gen i gof clir ohono yn gwisgo côt Gannex a chetyn yn 'i geg i ddynwared un gwleidydd nid anenwog, tra oeddwn inna yn chwara rôl rhyw Eammon Andrews o gymeriad. Lle aeth yr hen Ddafydd o'i le dwch? Y *Church House* yn Llanrwst oedd y Palladium i mi. Wedyn wrth gwrs, fe ddaeth y cyfnod pan ge's wahoddiad i ymuno â'r *Girl Guides* — dyna i chi sefyllfa unigryw mewn hanes. Y *Guides* yn gwahodd hogyn ifanc i ymuno â nhw. Mrs Eddie Jones oedd yn gyfrifol am y gwahoddiad gan ei bod hi yn ysgrifennu pantomeim blynyddol y gymdeithas unigryw honno — ond gan eu bod nhw angen bachgen i chwara rhan *Buttons* yn y sioe Sinderela, wel doeddwn i ddim am wrthod y cyfle hwnnw chwaith. Wrth fy modd. Oni fyddai hyn yn rhoi cyfle i mi fod yng nghwmni rhai o ferched harddaf Dyffryn Conwy — paradwys yn wir, a'r cyfle i gael perfformio o flaen cynulleidfa yn ychwanegu at y baradwys honno. Pêl-droed a Phanto — cymysgedd oedd wrth fy modd i. Doedd dysgu canu'r piano yn stafell gefn Fernlea o ddim iws o gwbwl, doedd neb yn fy ngweld i yn fan'no! Tybed ai fan hyn, ynghanol y *Guides* y ganed y Boi Sgowt? Er bod yna Sgowtiaid yn Llanrwst, wnes i rioed ymuno â'r rheiny. Roedd bron i wythnos o berfformio ynghanol hanner cant o ferched yn dal apêl ehangach, heb sôn am wisg y *bell-boy* a'r cap fflat du a'r bycla pres.

Ynghanol hyn i gyd, fel y soniais, roedd y gêm bêl-droed yn dal i chwarae rhan bwysig yn fy mywyd i, a rhyw obeithion bach cudd y gallwn gael cyfla i chwarae i Wrecsam rhyw ddiwrnod. Yr agosa fûm i at fod yn chwaraewr proffesiynol oedd cael fy nghamgymryd am un o'r rheiny. Roeddwn yn chwara i dîm y Ffermwyr Ieuainc, ac ar y pryd roedd gen i lond pen o wallt golau, ac wrth i ni ddod i'r maes mewn un gêm yn Nolgarrog, mi allwn glywed rhai o'r chwaraewyr a'r dorf yn sôn am y Dave Powell yma yn chwara *half-back*. Hwnnw eisoes wedi gwneud ei farc yn Wrecsam. Fi oedd y Dave Powell y diwrnod hwnnw — ac rwy'n dal i feddwl a oeddan nhw yn dal i ystyried mai Dave Powell oeddwn i ar ddiwedd y gêm honno!

'Nôl at fainc y saer. Mi ddechreuis weithio i 'nhad adeg y Pasg ar fy mhymthegfed pen-blwydd pan oedd tîm yr ysgol â nifer o gemau yn weddill. Doedd 'nhad ddim yn rhy hapus i roi amsar rhydd i'r prentis bach newydd i gicio pêl ganol prynhawn. Mynd wnes i, a hynny heb ofyn, a 'nhad yn dod yn 'i ôl gan ofyn i Ifan Roberts —

'Ble ma'r hogyn 'na?'

''Di mynd i gicio ffwtbol.'

A phan dde's yn f'ôl, roedd y sbarcs yn fflio. Arwydd pendant arall nad oeddwn am fod yn saer. Cicio pêl yn well na chario cŷn. Mae 'na rwbath mwy i fywyd na gweithio efo darn o bren. Roeddwn i'n chwilio am ymateb sydyn i'r hyn oeddwn i yn 'i wneud — nid pan fyddai'r sied neu'r cwpwrdd wedi'i orffen. Y cam nesaf i brofi'r pwynt i mi oedd pan ge's waith defnyddio lli gron. Yn lle defnyddio darn arall o bren i wthio'r coedyn drwy'r peiriant, gwell gen i oedd defnyddio fy llaw a chanlyniad hynny fu i mi dreulio gweddill y diwrnod hwnnw yn Ysbyty Llandudno, gyda'r meddygon yn cael ymarfer gwnio wrth roi llu o bwythau yn y bawd briwedig. Mae gen i graith anferth i brofi hyn hefyd — a phrofi unwaith yn rhagor na fyddwn yn saer. Bu Elwyn a minnau yn dipyn o siom i 'nhad, ac wrth edrych yn ôl, tybed a fyddai'r cwmni bach wedi bod yn llwyddiant gydag El yn gyfrifol am ochor fusnes y gwaith a minnau yn werthwr? Chawn ni mo'r ateb i'r meddyliau hynny bellach.

Roedd 'nhad yn brysur fel crefftwr yn gwneud cadeiriau eisteddfodau, cytiau ieir ac un ar bymtheg o bobol yn gweithio iddo. Minnau, fodd bynnag, yn penderfynu mynd i weithio yn *Woolworths* Bae Colwyn fel storman. Na, nid penderfynu yn hollol chwaith, ond sylweddoli bod yn rhaid ennill fy nhamaid yn rhywla, a dyna'r swydd ddaeth i'r adwy yr adeg honno. Minnau yn gadael ysgol ac Elwyn yn pasio'r lefn plys i'r Ysgol Ramadeg. Mae'n siŵr gen i 'mod i â'm bryd ar y bore cynta hwnnw yn *Woolworths* o fod yn rheolwr. Dyna lle roeddwn i'n treulio fy niwrnod yn symud bocsus yn fy nghôt frown iwtiliti o un pen y siop i'r llall, yn teimlo yn llawer pwysicach llanc na gweithio mewn oferôls nefiblŵ. Ymhen dim, roeddwn yn rheolwr storfa o dan hyfforddiant — ac yno y bûm am dair blynedd.

Gan 'mod i yn gorfod teithio o Lanrwst i Fae Colwyn, a'r bysiau yn llai na chyfleus, dyma dyfu i fyny yn sydyn iawn a phenderfynu 'mod i am brynu car. Mae pawb yn cofio'i gar cynta meddan nhw i mi, ac yn sicr dwi'n cofio'r Standard Eight fel tasa hi'n ddoe. Doedd o ddim gyda'r perfformiwr gorau'n y byd. A bod yn hollol onest efo chi, doedd o ddim yn arbennig o dda am danio yn y bore tasa hi'n dod i hynny. Roedd hi'n dipyn o broblem. 'Nhad wedi mynd i'w waith, Elwyn wrthi'n cael 'i frecwast cyn mynd i'r ysgol, a minnau yn methu'n lân â chael y co i danio. Ydach chi'n cofio'r math yna o gar? 'I ddrysa yn agor am allan o chwith o'dd yn 'i gneud hi'n job ar y diawl i wthio ac yna neidio i fewn iddo. Roeddwn yn parcio yn y maes parcio oedd yng nghefn y tŷ, a phob bore yn ddefodol, mi fydda hi yn —

'Mam, ga' i help gynnoch chi plis?'

'Be ti isio rŵan eto Emyr?'

'Y car, Mam.'

Ac yna, Mam druan yn gwthio'r car — a minnau ynddo, i geisio tanio'r injan. Chwara teg, 'mond gwthiad bach oedd 'i angen. Fe wnawn yn siŵr 'mod i'n parcio ym Mae Colwyn ar ychydig o lethr, gan nad oedd gen i Mam i weiddi arni ar ddiwedd bob prynhawn yn y fan'no! Fu'r car hwnnw ddim gen i yn hir iawn. A dweud y gwir plaen, fu yr un car yn fy meddiant i am yn hir iawn. Hwn oedd dechre fy mherthynas od efo ceir. Do, mi fûm yn berchen ar lwythi ohonyn nhw dros y blynyddoedd. Mwy nag unwaith mi ge's fy nghyhuddo o werthu'r car pan fyddai'r ashtre yn llawn.

Tua'r adeg hon, fe ge's fy nharo gan yr aflwydd perfformio. Mae'n siŵr gen i 'mod i rhwng y dwy ar bymtheg a'r deunaw oed. Roedd cystadlu a rhyw gymaint o'r perfformio yn 'y ngwaed i yn barod. Un noson, dyma fynd efo'r hogia am noson i'r *County* yn Llandudno. Roedd 'na rhyw fand dawns wrthi ar y llwyfan, ac yng nghwrs y noson honno mi ge's fy herio gan yr hogia i fynd ar y llwyfan at y band.

Doedd Wilias ddim yn un i droi'i gefn ar sialens — a honno'n sialens fyddai yn tynnu sylw yn ogystal, felly dyma neidio ar y llwyfan a chydio yn y meicroffon a throi yn Frank Sinatra am ychydig funudau. Roedd gen i ddigon o gefnogwyr yn y *County* y noson honno, mae'n rhaid, i greu rhyw fath o argraff ar foi y band, gan iddo estyn gwahoddiad i mi ymuno â'r band i wneud 'sbot' rheolaidd. Ond fe ddaeth problem yn 'i sgîl. Fe ddywedwyd wrtha' i bod yn rhaid i mi gael *Tuxedo* cyn i mi berfformio yn rheolaidd.

'Iawn,' meddwn i, heb unrhyw syniad beth oedd y peth hwnnw.

''Nhad, ma' rhaid i mi gael *Tuxedo*.'

'I beth?'

'I ganu efo'r band 'ma yn y *County* nos Sadwrn.'

'Beth ydi o? Gitâr?'

'Dwn i'm.'

'Dduda' i wrthat ti be 'nawn ni. Mi biciwn ni i siop Tan y Pendist. Ma' hwnnw'n gwerthu pob dim dan haul. Ma'n siŵr bod gynno fo be wyt ti'n chwilio amdano fo sti.'

A dyna fu! Ffwr' â ni. Mi drychodd ym mhob catalog oedd gynno fo.

'Wsti be, does na'm sôn am y *Tex* beth bynnag oedd o yn unrhyw un o'r llyfra. Well i ti sbio yn y *North Wales Weekly News* rhag ofn bod gan rhywun un ail-law.'

'Ew syniad da rŵan,' oedd ymateb cadarnhaol 'nhad. 'Tyrd, awn ni am gopi y munud 'ma.'

Wedi chwilio ym mhob colofn werthu yn y papur fe ddaethom ar draws un hysbyseb am *Tuxedo* ar werth. Cyfeiriad yn un o strydoedd cefn Llandudno. Dyma neidio i'r car, a 'nhad a minnau yn anelu am Landudno.

Gwraig weddw yn gwerthu dillad ei gŵr ymadawedig a atebodd y drws ac mae'n rhaid bod hwnnw'n wreslar neu rywbeth oherwydd roedd y siaced ddwywaith yn rhy fawr imi. Ta waeth, mi ddaethom ar draws hysbyseb arall — ym Mae Colwyn y tro hwn — ac roedd honno'n ffitio fel maneg, dim ond bod y coleri yn rhy fawr o'r hanner. Heddiw, mae'r siacedi coler lydan yma yn ôl yn y ffasiwn ac i'w cael yn rhesi yn Marcs, ond roedd rhaid i mi gael teiliwr i dwtio'r coleri bryd hynny a rhoi rhyw dro crwn go fodern arnyn nhw. Ac er nad y dillad sy'n gneud y dyn — maen nhw'n help wrth fagu hyder yn y busnes yma.

Wedi dechra cael rhyw flas ar y busnes ymateb cynulleidfa go iawn, dyma gymryd tro bach un prynhawn yr haf canlynol i'r *Happy Valley*, lle'r oedd Alex Munroe yn cyflwyno ei sioe dalent wythnosol yn y theatr awyr agored. Ei ddull ef o ddenu cynulleidfa oedd perswadio aelodau o'r gynulleidfa i ddod i'r llwyfan i berfformio ac yna beirniadu y gystadleuaeth yn 'i ffordd unigryw 'i hunan. Pan ddaeth yr alwad am wirfoddolwyr, wedi ychydig o anogaeth gan y mêts oedd gen i y prynhawn hwnnw, dyma ddringo i'r llwyfan bach a chanu i gyfeiliant piano oedd wedi gweld dyddiau gwell. Mi enillais! Alex Munroe wedyn yn fy mherswadio i ddod yn f'ôl yn gyson, ac o fewn dim, roeddwn yn rhan o'r tîm. O ie, mi anghofiais ddweud, y wobr oedd potel o siampên.

Fy ngwaith i oedd eistedd ynghanol y gynulleidfa, a phan ddeuai'r alwad, fe fyddwn yn gwirfoddoli i fynd i'r llwyfan i gystadlu — a hynny i gymeradwyaeth gynnes gweddill y gynulleidfa, am ddangos dewrder. Ychydig wydden nhw 'mod i'n rhan o seicoleg denu mwy ohonyn nhw i ennill y *Grand Talent Competition*. Rhyw bunt y prynhawn 'fyddwn i'n 'i gael, ond mewn ffordd dyma'r adeg i mi droi yn rhannol broffesiynol. O leia, roedd yna dâl — o fath. Y patrwm yn syml oedd rhoi potel siampên i'r enillydd. Yr un botel siampên oedd yno bob prynhawn — gan mai fi oedd yn dueddol o'i hennill! Disgyn o'r llwyfan, a llaw Alex yn ymestyn am y botel wrth i mi gyrraedd y ris isaf. Roedd y beirniadu yn wreiddiol, yn dilyn steil Hughie Green. Roedd gan Alex ei glapomedr ei hun — ac ni fyddai'n syndod i chi ddeall mai 'i law yntau oedd yn rheoli nodwydd y teclyn. Roedd gan Alex ei *troupe* o berfformwyr pen y pier — y rhan fwya ohonyn nhw yn dod i ddiwedd eu gyrfa yn y byd adloniant. Y dyddie hynny, roedd y *Pier Pavilion* yn Llandudno yn atyniad poblogaidd a llewyrchus a fyddai yn denu enwau cyfarwydd iawn y byd adloniant. Cofiaf yn iawn weithio gyda Milligan a Nesbitt oedd yn denu llond y theatr, felly hefyd June Bronhill a Semprini. Roedd y lle yn dal bron i fil a hanner o bobol.

Y diweddar annwyl Robinson Cleaver oedd yr impresario a fu'n bennaf gyfrifol am drefnu'r gweithgareddau hyn i gyd ac mae fy nyled i yn fawr i'r gŵr hwnnw. Ond, fel sy'n rhan o hanes y math hwn o weithgaredd, daw trai ar ôl pob llanw, ac yn raddol, roedd y nosweithiau yn dechrau colli'u hapêl, y cynulleidfaoedd yn lleihau, a'r sêr go iawn yn hawlio cymaint o dâl fel mai'r canolfannau mawr yn Blackpool a'u tebyg oedd yn llwyddo i ddenu'r sêr a'r cynulleidfaoedd. Roedd yr *end of the pier* yn ei chael yn anodd i gystadlu â theledu a'r canolfannau hynny. Dechreuodd y *Pavilion* wneud colled ariannol yn lle mymryn o elw, ac o fewn ychydig amser, cau fu hanes drysau'r *Pav* yn ystod yr wythnos, gan agor ei ddrysau ar nosweithiau Sul yn unig. Rhywffordd neu'i gilydd, daeth Alex Munroe o hyd i bres yn rhywle! Mae gen i ryw gof i fodryb iddo farw gan adael swm sylweddol iddo yn ei hewyllys — a chaniatáu i Alex wireddu ei freuddwyd fawr o gael theatr go iawn i'w rhedeg, a dyma ailagor y *Pavilion* am ha' cyfan.

Roedd El 'y mrawd a minnau wedi bod yn canu yno rhyw nos Sul, ac wedi anghofio fy eilliwr trydan yno, a dyma bicio i'r theatr ar y pnawn Llun, rhyw hanner awr cyn i'r drysau agor ar gyfer y sioe nos, ac yno ar y llwyfan, gyda'r awditoriwm mewn tywyllwch, dyna lle'r oedd y dawnswyr yn eistedd mewn cylch ar y llwyfan yn bwyta tships wedi'u lapio yn y *Llandudno Advertizer* neu'r *Weekly News* — ac un ohonyn nhw yn amlwg yn feichiog! Ia, dyna'r math o sioe oedd hi. Alex yn eistedd yn 'u canol yn 'i siwt pengwyn a'i fo-tei a *trilby* am 'i ben. Weles i mono fo rioed yn gwisgo dim byd gwahanol. Mi dde's yn gwbwl argyhoeddedig 'i fod o'n cysgu yn 'i ddillad. Fel yr agosawn at y llwyfan, dyma lygaid Alex yn syllu i'r gwyll o'i flaen, ac fel roeddwn yn cyrraedd y goleuadau, bloedd o adnabyddiaeth:

'*Emyr, how are you my dear boy, marvellous to see you. So sorry for you, my dear boy. Look around you. Just think, if you had stayed with me, you could have been part of this. Look where you would be now!*'

Ia, Alex Munroe y *showman* o'i gorun i'w sawdl. Flynyddoedd lawer yn ddiweddarach, cofiaf ei weld yn hen ddyn gyda'i acen Albanaidd fel cloch, ac yntau wrth hel atgofion, yn sôn iddo fod yn cerdded siopau Manceinion un prynhawn, ac wrth fynd heibio i siop werthu teledu, roedd un o'r setiau yn dangos BBC Cymru. Ar y sgrîn roedd darllediad o'r rhaglen boblogaidd 'Disg a Dawn' — yntau yn rhuthro i mewn i'r siop gan weiddi ar y siopwr a'r cwsmeriaid, a phwyntio'i fys at y set deledu:

'*That's Emyr, that's my boy,*' meddai, '*That's Emyr. Would you mind turning up the volume for me. That man started with me you know. I taught him all he knows.*'

A dyma fo'n eistedd ynghanol y siop yn gwylio a gwrando ar Emyr ac Elwyn yn perfformio ar 'Disg a Dawn'. Mae'n siŵr gen i fod 'na lawer o wirionedd yn yr hyn ddeudodd o. Un peth yn sicr y gwnaeth o ei ddysgu i mi oedd i beidio byth ag anghofio unrhyw un a fu'n gydweithiwr. Dangosodd Alex hynny ar hyd y blynyddoedd. Profais innau droeon pa mor bwysig yw perthynas pobol â'i gilydd, pa mor ddibynnol yw pobol ar ei gilydd yn y busnes adloniant.

Ymhen blynyddoedd lawer, rwy'n cofio'n iawn, roedd angen ecstras ar gyfer un o raglenni teledu y gyfres 'Gari', a dyma wahodd Alex Munroe i weithio — talu ffafr fechan iawn yn ôl am y cyfle ge's i ganddo. Wrth orffen saethu'r olygfa, dyma Alex Munroe yn troi at y cyfarwyddwr gan ddweud:

'*I'm so glad to see how Emyr has got on in the business. I taught him everything he knows, you know.*'

Er mai gwenu'n rhadlon wnaeth y cyfarwyddwr y prynhawn hwnnw, oeddwn, roeddwn i *yn* gwybod bod llawer iawn o wirionedd yng ngeiriau Alex. Mi ddysgodd lawer i mi am ymddygiad, am broffesiynoldeb, am baratoi yn drylwyr, am barchu cydweithwyr, ac am werthfawrogi llawer o'r problemau. Hen ystrydeb ydi hi, ond mae hi'n oesol wir — parchwch yr ifanc sy' ar y ffordd i'r brig oherwydd mae'n bosib y byddwch chi yn eu pasio nhw ar y ffordd i lawr gyda hyn.

Emyr ac Elwyn

*Eu perfformiad cyntaf
ar Disg a Dawn*

Pedigrifwch

Fel yr unig gyfyrder agos iddo o ochr ei dad — y diweddar Harri Pierce Williams (Harri Ffatri i ni) — ac fel un a dreuliodd oriau dan law ei daid o ochr ei fam, sef William Dafis Commins yn yr Ysgol Sul, ac yn y Cyfarfodydd Plant, rwy'n llwyr gredu i frid y digrifwr fod yn gryf yn Emyr Pennant o'r cychwyn cyntaf. Roedd doniolwch yn ei waed o. Pa ryfedd, felly, i'r llanc o Lansannan lwyddo i gyrraedd safon uchel iawn yn ei faes?

Roedd ei fam, Nance, yn llawn hwyl a direidi diniwed pan yn ifanc, a chofiaf i'w thad, William, hyd yn oed pan yn cymryd rhan mewn cyfarfod gweddi, fod â gwên lydan ar ei wyneb. Hyn, cofier, ac yntau'n flaenor yn Horeb! Mae gen i atgofion melys, hefyd, am y cyfnod hwnnw pan oedd rhieni Emyr, Harri a Nance, yn treulio amser hefo Nain yn Pen Coed, a minnau newydd ddechrau gweithio ar y fferm. Cawsom oriau lawer o hwyl. Roedd Harri yn 'cwic ar y *draw*', fel y basem ni'n ei ddweud, ac yn gallu rhoi atebion cyflym i broblemau dyrys — straen y meddwl chwim yn amlygu ei hun unwaith eto.

Ond dyma droi'r cloc yn ôl ymhellach fyth rŵan, i 1934, i fy niwrnod cyntaf i yn Ysgol Ramadeg Dinbych. Roedd tua pump ohonom yn cyfarfod y bws ym Mrynrhydyrarian, pob un yn ei sgidie hoelion mawr, ac wedi cerdded rhyw filltir i gyrraedd yno; roedd tua'r un faint i'w gerdded eto ar ôl cyrraedd Lenton Pŵl yn Ninbych.

Ar ran olaf y daith hon oeddwn i — dan ofal Harri — pan ddaeth boi o'r enw Llwgwr ataf (Llwgwr oedd yr enw a roddwyd ar ei dad erbyn deall, gan mai fo oedd y *relieving officer* yn y fro). Dyma drwbwl, meddwn wrthyf fy hun, oherwydd roedd yna atgasedd mawr yn bodoli rhwng plant y dre a phlant y wlad. Beth bynnag, dyma'r Llwgwr yma yn gofyn i mi'n reit smala, 'Ew, lle ce'st ti'r sgidia mawr 'ne?' A dyma ateb Harri yn dod fel mellten: 'Cau dy geg boio. Tydi o ddim o bwys i ti lle cafodd o nhw — ond yn nhwll dy din di y cei di nhw os na watshi di.'

Arferai Harri a finna fynd i balu'r ardd i Nain yn Pen Coed. Doedd yna fawr o bridd yn y gornel honno o'r ardd a deud y gwir, ac mae'n rhaid fod rhywun, rhywdro wedi taflu darnau o hen lechi yno. Ar ôl sbelan, dyma Nain i'r ardd a chwyno nad oeddem yn palu'n ddigon dwfn. Ond roedd Harri wedi sylwi ar y llechi, ac meddai 'Wel, Anti, 'dan ni'n palu mor ddwfn nes ein bod ni'n codi slaets to Niw Sîland i fyny, welwch!' Y cyfan wnaeth Nain oedd troi i ffwrdd — ond rwy'n siŵr fod gwên ar ei hwyneb!

Rai blynyddoedd yn ddiweddarach, rwy'n cofio fel y byddai pedwar ohonom — Harri, Arthur Vaughan ei frawd, Bryn yr Efail a minnau yn mynd draw i Rhyl yn rheolaidd i'r pictiwrs, neu i'r sioeau *Variety* yn y *Queen's* a'r *Amphitheatre.* Y drefn oedd dal y bws ola adra i Lansannan am ddeg munud wedi deg, ond yn amlach na pheidio, byddai ciwiau anferth i fynd ar y bws hwnnw yn Rhyl.

Un noson, a minnau ym mhen pella'r ciw a dim gobaith rhoi blaen troed yn agos i'r bws, dyma ganfod mai fisitors ar eu gwyliau yn Nhywyn oedd pawb ohonyn nhw bron. Cawsom ein gwthio i ffwrdd gan y *conductor*, ond yna, dyma'r pedwar ohonom at yr inspector a dechrau codi llais ynglŷn â'r anghyfiawnder. Doedd neb yn uwch ei gloch na Harri wrth fynnu cael *duplicate*, ac yn wir cawsom le ar y bws i Llanfair T.H., ac yna newid a dal bws y Llan oddi yno. Ond yn y cyfamser, roedd Harri wedi cornelu'r *conductor* a gafael yn ei gorn gwddw, gan ofyn iddo, 'Faset *ti'n* licio cerdded o Abergele, pry?' '*Llansannan only*' oedd hi byth ar ôl hynny. Ia, un i achub ei gam ei hun — a cham eraill — gyda'i dafod lem a'i feddwl chwim oedd Harri.

Pan ddaeth Harri a Nance i fyw i'r Llan, bron yn union ar draws y ffordd i Mildred a minnau, cawsom oriau o hwyl yn eu cwmni. Doedd dim teledu yn agos i'n cartrefi bryd hynny wrth gwrs; Gari Tryfan ar y radio, a chymdeithasu yn nhai ei gilydd oedd unig ddifyrrwch y plant. Mewn awyrgylch felly y magwyd Gari Williams — traddodiad o sgwrsio a hel straeon, ac roedd hynny, mi gredaf, yn cael ei adlewyrchu yn ei waith. Un ohonom ni oedd o ar y llwyfan — a phedigri o ddigrifwr.

Bobi Morus Roberts

Capel (M.C.) Beddgelert.
NOS WENER, MAWRTH 26ain, 1971.
Cyngherdd Mawreddog
Gan DALENTAU CYMRU(Welsh Artistes)
TONY AG ALOMA.—EMYR AG ELWYN.—HOGIAU'R DEULYN.
TREFLYN JONES.—THE SINGING POLICEMAN - (Arweinydd)
HUW WILLIAMS, Eglwysbach, (Baritone) — COLWYN BAY BRASS
QUARTET. — also DAVY JONES, Llanfairfechan, (Piano).
Cadeirydd : Dr. JOHN JONES MORRIS, Beddgelert.
Drysau'n agored am 7 o'r gloch.
TOCYN : 6/- (30p.) Dechreuir am 7-30.
Argraffwyd gan Gwilym Jones, Meusyddllydain, Penrhyn. Phone : 256.

Daeth mwy o recordiau sengl i'r am
oedd yn gyfrifol am un ohony

Emyr ac Elwyn

Ar ddiwedd y chwedegau, yng nghanol yr ymchwydd sydyn fu ym myd
y canu pop yng Nghymru, roedd artistiaid yn codi fel madarch gwyllt
ym mhob cwr o'r wlad. Roedd nifer yn diflannu fel madarch unnos
hefyd ond ymhlith y rhai a wnaeth argraff fwy parhaol oedd y ddau
frawd Emyr ac Elwyn.

Erbyn Ionawr 1969 roedd y teulu yn byw ym Mochdre ger Bae
Colwyn. Roedd Emyr wedi canu gyda chriw Alex Munroe yn
Llandudno am dri haf a chyn hir dechreuodd Elwyn ganu'r gitâr. Yn
sydyn rhyw noson, dywedodd Emyr: 'Rydan ni'n byw yn yr un tŷ. Pam
na allwn ni ganu gyda'n gilydd?'

Fel yna yn syml ddigon y dechreuodd y ddeuawd. Cyn hir roedd y
perfformiadau'n lluosogi; erbyn diwedd y flwyddyn roedd eu record
gyntaf 'Cariad' (label Cambrian) yn siart *Y Cymro* a phedwar
ymddangosiad ar 'Disg a Dawn' wedi'i sicrhau erbyn dechrau 1970.

36

Erbyn hyn, roeddynt ymhlith Sêr Cymru a dyma'r disgrifiad ohonynt yn rhaglen y nosweithiau hynny yn y Majestic:

Emyr — Gwallt melyn a llygaid glas. Hoff o smôc a sgwrs, a chanu wrth gwrs.

Elwyn — Gwallt melyn a llygaid glas. Wrth ei fodd yn canu pop Cymraeg a bwyta sgod a sglods (*fish and chips*), a'i ddymuniad yw gweld cân Gymraeg yn y gystadleuaeth *Eurovision*.

Bu'r record 'Cariad' yn siart *Y Cymro* am bedwar mis a difyr yw edrych yn ôl a gweld beth oedd y gystadleuaeth yn y siart Cymraeg y dyddiau hynny:

Ionawr 7fed, 1970

DEG UCHAF "Y CYMRO"

1 (1) Hen bentre bach Llanber : Hogia'r Wyddfa (Dryw)

2 (2) Mi ganaf gan : Hogia Llandegai (Cambrian)

3 (3) I ba beth mae'r byd yn dod : Hogiau'r Deulyn (Cambrian)

4 (6) Cariad : Emyr ac Elwyn (Cambrian)

5 (4) Dim ond ti a fi : Tony ac Aloma (Cambrian)

6 (7) Diolch i'r lor : Parti'r Ffynnon (Cambrian)

7 (9) Mwg : Mike Stevens (Dryw)

8 (-) Dwr : Huw Jones (Sain)

9 (5) Yr Anfarwol David Lloyd (Cambrian)

10 (-) Safwn yn y bwlch : Hogia'r Wyddfa (Dryw)

Cyn bo hir roedd 'Romani', eu hail record, yn dringo'r siartiau. Aeth hon i fyny i'r ail safle yn *Y Cymro* a hynny mewn cyfnod o ganeuon clasurol a chofiadwy gan eu cydartistiaid. Cyfuniad o eiriau eu tad, Harri Pierce Williams, ac alaw eu hewythr, Arthur Vaughan Williams, oedd y gân 'Romani'.

DEG UCHAF "Y CYMRO"

1·(1) Y Gwanwyn: Hogia'r Wyddfa (Dryw).
2 (7) Romani: Emyr ac Elwyn (Cambrian).
3 (2) Diolch i Ti: Tony ac Aloma (Cambrian).
4 ( ) Pleserau Serch: Mary Hopkin (Cambrian).
5 (4) Disc a Dawn: (Radio Enterprises).
6 ( ) Peintio'r byd yn wyrdd: Dafydd Iwan (Sain).
7 (10) Cariad fel y mel: Rosalind Lloyd (Cambrian).
8 (3) Ar lan y mor: Yr Hennessys (Cambrian).
9 ( ) Yr Hogyn Pren: Tebot Piws (Dryw).
10 (8) Cytgan yr Adar: Seiniau'r Tywi (Teldisc).

Bu'r misoedd nesaf yn chwyrligwgan o gyngherddau, perfformiadau teledu a recordiau gyda dwy arall yn cyrraedd *Deg Uchaf Y Cymro*: 'Diolch' ac 'O dwed ti wrthyf'. Erbyn Rhagfyr 1971, roedd y ddau frawd yn meddwl am fywoliaeth amser llawn ym myd cerdd yn hytrach na chanu'n rhan amser yn unig. Agorodd y ddau ohonynt Ganolfan Gerdd ym Mae Colwyn. Roedd Emyr bellach yn chwech ar hugain ac Elwyn yn ugain a dyma'r adroddiad yn *Y Cymro*:

Pe baech yn gofyn i Elwyn, Emyr ac Elwyn, a yw 'Gwlad y gitâr' yn ddisgrifiad digon teg o 'Wlad y gân' y dyddiau hyn gallai ateb yn ddigon pendant ei fod. Wythnos cyn y Nadolig gwerthodd Elwyn ugain gitâr ym Mae Colwyn.

Yr wythnos honno roedd yr 'Emyr and Elwyn Music Centre' wedi agor yn y dref. Menter ariannol gan y ddau ganwr yw'r siop sy'n fis oed erbyn hyn ac mae'n ganolfan recordiau Cymraeg a Saesneg i'r dref Seisnig a'r cylch Cymraeg sydd o'i chwmpas.

'Mae hon y teip o siop sydd eisio yma. Does na'r un siop fiwsig arall,' meddai Elwyn, clerc gyda Manweb cyn iddo ddechrau gweithio yn ei siop ei hun. Deil Emyr i weithio fel gwerthwr olew a helpu yn y siop ar brynhawniau Sadwrn.

Emyr ac Elwyn yn troi siop bysgod yn ganolfan gerddorol

PE baech yn gofyn i Elwyn, Emyr ac Elwyn, a yw "Gwlad y gitar" yn ddisgrifiad digon teg o "Wlad y gân" y dyddiau hyn gallai ateb yn ddigon pendant ei fod. Wythnos cyn y Nadolig gwerthodd Elwyn ugain gitar ym Mae Colwyn.

Yr wythnos honno roedd yr 'Emyr and Elwyn Music Centre' wedi agor yn y dref. Mentr ariannol gan y ddau ganwr yw'r siop sy'n fis oed erbyn hyn ac mae'n ganolfan recordiau

Cymraeg a Saesneg i'r draf Seisnig a'r cylch Cymraeg sydd o'i chwmpas.

"Mae hon y teip o siop sydd eisio yma. Does na'r un siop fiwsig arall", meddai Elwyn, clerc gyda MANWEB cyn iddo ddechrau gweithio yn ei siop ei hun. Deil Emyr i weithio fel gwerthwr olew a helpu yn y siop ar brynhawniau Sadwrn.

"Dydi'r canu ddim yn mynd i bara am byth", meddai Elwyn, "ac ar ôl gorffen canu rydan ni'n mynd i ofyn be 'dan ni wedi ei gael ohono fo am ...dd. Yr

Emyr ac Elwyn. Dyma'r llun sy'n croesawu'r cwsmeriaid i'r siop.

'Dydi'r canu ddim yn mynd i bara am byth,' meddai Elwyn, 'ac ar ôl gorffen canu rydan ni'n mynd i ofyn be 'dan ni wedi ei gael ohono fo am ychydig flynyddoedd. Yr unig ffordd inni gael rhywbeth ohono fo oedd cychwyn peth fel hyn a dyma ni'n penderfynu mentro.'

Bu'r ddau yn chwilio am fisoedd i geisio cael adeilad addas. Yn y diwedd cafwyd siop bysgod oedd yn mynd yn wag a gweithio arni'n ddiddiwedd tan wythnos cyn y gwyliau.

Cwblhawyd y gwaith mewn rhuthr gwyllt. Canai'r ddau mewn cyngherddau ar fin nos a chyrraedd yn ôl am un ar ddeg a dechrau ar atgyweirio'u siop. Roeddynt wrthi am ddau o'r gloch fore Sadwrn cyn agor yn ddiweddarach.

'Roedd o'n werth o cyn y 'Dolig,' eglurodd Elwyn.

Gwerthu offerynnau oedd y bwriad ar y cychwyn a datblygu'r farchnad taflenni cerddoriaeth. Mae'r offerynnau'n mynd yn dda a'r recordiau Cymraeg a Saesneg er mai dewis o recordiau hirfaith rhad Saesneg oedd yno ar y cychwyn.

'Roeddan ni wedi meddwl gwneud ar hyn ond roed cymaint yn dod i mewn i holi am recordiau'r *Top 20* fel bod rhaid inni fynd i mewn i hynny hefyd,' meddai Elwyn.

Synnir Elwyn gan nifer y rhai di-Gymraeg sy'n dod yno i brynu recordiau Cymraeg o bob math ac mae'n syndod yr

39

amrywiaeth sydd yn yr oed hefyd. 'Mae tipyn o bawb yn prynu'r rhai Cymraeg,' meddai.

Yn raddol trodd y ddau frawd at fath gwahanol o ganu oedd yn gweddu i'r talentau oedd yn amlwg yn blodeuo yng nghymeriad Emyr. Roedd canu cabaret yn rhoi cyfle iddo gynhesu'r gynulleidfa gyda'i ddawn fel comedïwr ac yn fuan roedd clybiau a thai bwyta fel y *Four Oaks* ym Mae Colwyn yn galw am eu gwasanaeth. Drwy haf 1974, roedd y ddeuawd yn cynnal *Welsh Style Cabaret with our English Guests in mind*), o naw o'r gloch tan hanner nos bob nos Lun yn y *Four Oaks*. Erbyn hyn, roedd Emyr wedi cychwyn ar ei yrfa fel diddanwr llawn amser.

Gan iddynt gilio i raddau o fyd canu pop Cymraeg y cyfnod, ond nid cyn i'w LP — oedd yn gasgliad o'u caneuon mwyaf poblogaidd — werthu dros 10,000 o gopïau, roedd y wasg Gymraeg yn holi os oeddynt wedi ymddeol. Ond dyna *Asbri* yn adrodd eu hanes yn haf 1974:

> Er bod dwy flynedd ers eu record a'u hymddangosiad diwethaf ar y teledu, mae y ddau frawd yn fwy prysur nag y buont erioed, yn ymddangos mewn cyngherddau a chlybiau o amgylch Gogledd Cymru a Lloegr.
>
> Oherwydd eu prysurdeb ym myd Cabaret, mae y ddau wedi datblygu eu hact i gynnwys comedi, a chanu i barhau am tua awr, hyn yn wahanol i'r hen ddull o gyflwyno dwy neu dair o ganeuon ymhob hanner mewn cyngerdd. Teimlai'r ddau fod y dull yma yn creu gwell cysylltiad â'r gwrandawyr, a thrwy hynny yn rhoi cyflwyniad mwy effeithiol a diddorol.
>
> Yn ystod yr haf y llynedd buont yn diddori ymwelwyr yn Llandudno bob nos Fercher. Cynhyrchwyd y sioe yma gan y ddau, ynghyd â Bwrdd Croeso Gogledd Cymru.
>
> Ymddangosodd Emyr ac Elwyn hefyd gyda Dai Francis (Black & White Minstrels, gynt) ar ddwy nos Sul yn y Pafiliwn yn Llandudno, ac hefyd fe fu'r ddau yn diddori ymwelwyr o America ar fwrdd y llong *Kungsholm*.
>
> Mae misoedd yr haf eleni yn adeg prysur i'r ddau frawd. Byddant yn diddori ymwelwyr ym Mae Colwyn eleni un noson o'r wythnos, am tua deufis, a does dim golwg fod llawer o benwythnosau gwag o hyn i ddiwedd y flwyddyn.

Gorff. 1974

Tipyn bach o asbri gyda Rosalind a Myrddin

Ym mis Gorffennaf 1975, cyhoeddodd y brodyr LP arall o'u caneuon, y tro hwn ar eu label hwy eu hunain — Romani. Roedd y record hon yn adlewyrchu gweithgaredd clybiau'r hogiau bellach, gyda saith cân Saesneg a phum cân Gymraeg. Cynyddodd y galw amdanynt ymysg y clybiau a newidiodd eu sioe hwythau'n raddol, gyda'r comedi yn cael lle mwy blaenllaw a'r caneuon yn troi i fod yn gromfachau o gwmpas perfformiad Emyr. Newidiodd yr enw hefyd ac erbyn Mai 1979 cyhoeddwyd record arall ar label Romani — 'Gari Williams a'r Band', gyda chwe chân Gymraeg a chwe chân Saesneg. Datblygodd y sioe gabaret i fod yn sioe gomedi, ac ar ôl sgwrs gyda Ronnie Williams yn 1978 ac fel un â'i wreiddiau yn Llanrwst, dewisodd Emyr yr enw Gari fel teyrnged i Idwal Jones a'i greadigaeth enwog, Gari Tryfan. Roedd Elwyn, wrth gwrs, yn parhau yn rhan o'r band, yn canu'r gitâr fâs a'r gitâr rythm ar y record ac aelod hanfodol arall o'r band bellach oedd Dilwyn Roberts, organydd a chyd-awdur saith o'r caneuon gydag Elwyn.

Erbyn hyn, roedd Emyr wedi dychwelyd i'r byd adloniant Cymraeg fel actor, pantomeimiwr, comedïwr a chanwr a hynny o dan yr enw Gari Williams. Ymhen amser, byddai'n ymddangos fel Edgar Sutton ar y gyfres 'Pobol y Cwm' ac roedd hynny, ynghyd â'i waith mewn pantomeimiau fel 'Madog', 'Eli Babi' a 'Mwstwr yn y Clwstwr' am ei ddychwelyd i le cynnes iawn yng nghalonnau cynulleidfaoedd ledled Cymru. O hynny ymlaen, bu tro arall yn ei yrfa a chyda mwy o waith ar gael iddo ar Radio Cymru, S4C a chwmnïau theatr fel Bara Caws, roedd Gari yn medru troi yn ôl i berfformio yn llwyr drwy'r iaith Gymraeg unwaith eto. Roedd wedi bwrw'i brentisiaeth, wedi dysgu'i grefft a dychwelodd i fod yn un o'r perfformwyr mwyaf byrlymus, mwyaf gweithgar a mwyaf annwyl yn ystod y degawd nesaf.

Blas o'r dyddiau da

Cafodd y brodyr yrfa bêl-droed hefyd — ond un fer oedd honno

Ar Garreg yr Aelwyd

Ar wyliau gyda Hafwen
ar Ynys Manaw

Priodas Gari a Hafwen,
Mai 17eg, 1969

Gari, Nia, Hafwen a Guto, Haf 1989

44

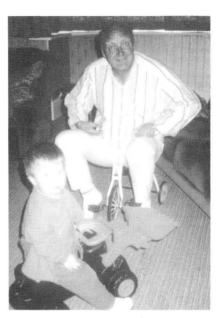

Nia yn forwyn briodas
Mai 16eg, 1987

Gwirioni ar deganau Guto

Y tad wedi mopio, Mehefin 1990

Dawn Dweud Gari

Pe bawn i'n cael dewis unrhyw ddawn arbennig, yr un faswn i'n ei dewis fuasai'r ddawn honno i fedru deud y peth iawn ar yr amser iawn. 'Dach chi'n gwybod be dwi'n feddwl. Faint ohonom ni sydd wedi wynebu sefyllfa, ac yna, rhyw awr neu ddwy yn ddiweddarach, wedi meddwl am rhywbeth i'w ddeud? Erbyn hynny mae hi'n rhy hwyr a'r cyfle wedi pasio.

Pam dwi'n deud hyn wrthach chi? Oherwydd bod Gari yn un o'r rhai prin hynny sy'n meddu ar y ddawn arbennig honno.

Mewn sgwrs breifat â ffrind, neu ar lwyfan, roedd Gari a'i feddwl chwim yn gallu ymateb i'r sefyllfa ac nid yn unig deud y peth iawn ond ei ddeud mewn ffordd ddoniol hefyd.

Fel comedïwr roedd o wastad yn chwilio am gyfleoedd i greu doniolwch. Rwy'n cofio ei ymateb i ddigwyddiadau annisgwyl ar sawl achlysur; digwyddiadau fyddwn i a llawer un arall wedi eu diystyru, ond nid Gari.

Rwy'n cofio ymddangos mewn clwb yn Llangollen un noson. Roedden ni wedi bod yn 'gweithio'r clybiau' ers rhai blynyddoedd a Gari erbyn hyn yn cael ei ystyried yn dipyn o gomedïwr byrfyfyr. Oherwydd hyn roedden ni'n cael 'cymeriadau' yn dod i wrando arnom er mwyn ceisio codi gwrychyn Gari yn ystod y perfformiad. I'r sawl sydd wedi gwneud hyn, mae'n amlwg mai'r comedïwr, gyda'i feicroffon, sy'n ennill pob tro.

Y noson honno, yn ystod ein hymddangosiad, gwaeddodd rhywun o'r gynulleidfa. Roedd yr ystafell yn hollol dywyll ac oherwydd y goleuadau llachar ar y llwyfan methai Gari weld y gynulleidfa. Dyma ofyn am gael goleuo'r ystafell er mwyn iddo gael ateb y sawl oedd wedi gweiddi arno. Roedd hyn yn golygu bod un o'r pwyllgor yn gorfod codi o'i gadair a cherdded tua deg llath at y swits. Roedd y digwyddiad yn hollol annisgwyl ac felly nid oeddem wedi trefnu unrhyw beth ymlaen llaw gyda'r aelod yma o'r pwyllgor.

Dychmygwch y sefyllfa — Gari yn ceisio darganfod pwy waeddodd, a neb yn fodlon cyfaddef. 'Dewch o'na,' meddai Gari, 'Wneith y sawl waeddodd sefyll ar ei draed er mwyn i bawb gael gweld os ydi o mor fawr â'i geg.' Cymerodd hyn tua hanner munud i gyd a thra oedd pawb yn chwerthin dyma'r aelod o'r pwyllgor, yr un gododd i oleuo'r ystafell, yn diffodd y golau a mynd yn ôl i'w sedd. Fel mellten, dyma

Gari yn troi i gyfeiriad y swits a dweud ''Dach chi ddim yn cael llawer am swllt yma nag'dach.' Cafodd y llinell yna fwy o ymateb na'r gyntaf hyd yn oed!

O'r holl gyngherddau, nosweithiau llawen, cabaret, pantomeimiau ac ati wnes i efo Gari dyna'r unig adeg iddo ddefnyddio'r llinell honno. Gwelodd ei gyfle ac fe aeth amdani. Oherwydd yr ymateb, buasai llawer un wedi ceisio cynnwys y llinell ymhob perfformiad wedi hynny — ond nid Gari. Nid un fel'na oedd o. Roedd y perfformiad yn newid pob nos.

Fel arfer, ar gyfer cabaret awr o hyd, byddem yn trefnu i ganu chwech neu saith o ganeuon. Byddem wastad yn agor gyda chân ac yna byddai Gari yn cychwyn ar ei jôcs. Ni chofiaf i unrhyw ddwy noson fod yr un fath. Gan ddibynnu ar ymateb y gynulleidfa i'r jôc neu ddwy gyntaf byddai Gari yn gweld cyfle i berfformio'n fyrfyfyr, a dyna ni wedyn am tua hanner can munud. Yn ddieithriad bron ar ôl bod ar y llwyfan am tua awr byddem yn cwblhau'r 'sbot' gyda'r ail gân.

Bryd hynny roeddem yn cludo ein hoffer sain o amgylch y lle ein hunain a chofiaf yr amser pan brynom ni feicroffon newydd — *radio mic*. I'r rhai hynny ohonoch chi sy'n deall dim am electroneg, fel fi, does gan y *radio mic* ddim weiar yn ei gysylltu â'r offer, dim ond erial fechan. Fe weddnewidiodd ein perfformiad dros nos. Ac yntau wrth ei fodd yn cysylltu â'i gynulleidfa roedd Gari nawr yn gallu mynd i rywle oddi ar y llwyfan, o fewn rheswm.

Yng Nghlwb Criced Bethesda roedd y drysau i'r tai bach gyferbyn â'r llwyfan. Roeddem ni'n ymddangos yno'n rheolaidd ar un adeg a'r clwb wastad dan ei sang. Rwy'n cofio gweld y gynulleidfa yn eu dagrau ar sawl achlysur, yn chwerthin am bron i awr ar Gari a'i jôcs ond ar yr un pryd yn ysu am gael mynd i'r tŷ bach. Roedd hi'n well gan rai fynd allan i'r toiledau trwy'r drws cefn (a hithau'n bwrw gan amla) na cherdded heibio i'r llwyfan. Wrth gwrs roedd hynny'n fêl ar fysedd Gari ac yn creu mwy o hiwmor.

Yn ystod tymor yr haf bûm yn ymddangos mewn clwb gwersyll carafannau yn Nhywyn ger Abergele. Mae'r enw *The Golden Gate* yn swnio'n balasaidd iawn, ond mewn gwirionedd roedd yr hen glwb yn bell o fod yn balas. Serch hynny, am dri thymor cawsom groeso brenhinol yno. Roedd yr ymwelwyr o Lerpwl, Manceinion, Stoke on Trent a Birmingham wrth eu boddau gyda Gari. Byddai llawer o Gymry lleol yn cefnogi ein nosweithiau yn y clwb hefyd am mai dyna'r unig glwb ar hyd arfordir y gogledd ble clywid canu Cymraeg yn ystod yr haf.

Roedd Gari yn ei elfen gyda'i *radio mic* yn gwneud pob math o bethau. Yn dilyn y stori ym Methesda, un noson yn y *Golden Gate* fe ddilynodd Gari ddyn i mewn i'r tŷ bach — am sgwrs! Bu'r ddau yn sgwrsio yno am tua phum munud cyn i Gari ddychwelyd i'r llwyfan. Arhosodd y dyn yn y tŷ bach tra oedd Gari'n dal ar y llwyfan, er peidiwch â chael camargraff — nid un i wneud hwyl am ben pobol oedd Gari. Rhyw dynnu coes diniwed oedd ei fwriad wastad. Rhyw gêm rhyngddo fo a'r gynulleidfa, ac fel un a oedd yn gallu darllen cynulleidfa roedd Gari'n gwybod yn iawn pwy fydde'n fodlon chwarae'r gêm efo fo. Roedd y rhan helaeth o'i jôcs yn creu hwyl am ei ben ei hun. Ei ben moel, ei hoffter o fwyd, ei gar, ei dŷ, ei deulu a'i annwyl Fochdre. Er iddo symud o Fochdre, fel comedïwr gwelai Gari werth yr enw. Tydi Bae Colwyn, rhywsut, ddim mor ddoniol â Mochdre!

Cafodd ei fagu yn Llanrwst ac yn ystod ei blentyndod cafodd gyfle i ymddangos gyda'r *Girl Guides* lleol yn eu pantomeimiau. I'r rhai sy'n cofio'r perfformiadau, fo oedd y *Buttons* gorau gafodd Sinderela Llanrwst erioed, a phwy fase'n meddwl, wrth weld y bachgen ifanc penfelyn ar lwyfan y Church House yn Llanrwst, y byddai, ymhen amser, yn ymddangos mewn pantomeimiau ar lwyfannau Cymru gyfan. Byddai unrhyw un welodd Gari mewn pantomeim yn dyst i'w ddawn anhygoel i siarad â phlant. Roedd ganddo'r gallu i wneud i'r plant deimlo'n gartrefol ar lwyfan trwy siarad yn hollol naturiol â nhw. Roedd yr un ddawn yn amlwg ar ei raglen radio hefyd. Roedd ganddo'r gallu i wneud i'r cyfrannwr deimlo mai sgwrs bersonol rhwng dau ffrind oedd hi ac nid cyfweliad ar radio cenedlaethol.

I ddychwelyd at y pantomeim a'r ddawn oedd ganddo i weld ei gyfle. Mewn perfformiad yn Theatr Clwyd roedd y pantomeim, yn ôl yr arfer, wedi cychwyn yn brydlon am hanner awr wedi saith. Yn anffodus roedd bws o ardal Cerrigydrudion wedi cyrraedd chwarter awr yn hwyr a rheolwr y theatr, yn unol â'i ddyletswyddau, wedi gwrthod mynediad i'r parti tan y toriad cyntaf. Roedd hi'n amlwg fod pobol Cerrig yn gyfarwydd â'r hen arferiad Cymreig — fod popeth i gychwyn yn hwyr.

Yng nghornel ei lygad gwelodd Gari fod y criw yn sefyll tu allan i'r drws. Fe aeth draw at y criw i'w tywys i'w seddau. Mae cael hanner

Yn ei elfen o flaen ei bobl

cant o bobol i'w seddau yn anodd ar y gorau, ond roedd cael Gari i dywys hanner cant o bobol i'w seddau yn ddoniol — *hilarious* ys dywed y Sais! Ar ôl cael pawb i'w seddau aeth Gari yn ôl i'r llwyfan, ac er mwyn y criw o Gerrig fe aeth drwy'r plot o'r cychwyn. Wedi cwblhau hynny parhaodd â'i berfformiad fel pe na bai dim byd wedi digwydd.

Rhwng popeth, cymerodd hyn tua deng munud, ond nid amharodd ar fwynhad y gynulleidfa, i ddweud y gwir efallai bod y deng munud yna wedi gwneud y noson i'r gynulleidfa, gan gynnwys pobol Cerrig. Gwelodd Gari ei gyfle i gyfeirio at Gerrigydrudion sawl gwaith yn ystod y noson honno, a hynny'n ychwanegu at yr hwyl ac yn sicrhau noson lwyddiannus i bawb. Yn sicr, y deng munud yna yn Theatr Clwyd oedd uchafbwynt y daith i'r actorion y flwyddyn honno.

Mae'n hawdd dysgu pob math o bethau y dyddiau yma. Mae'n bosib mynd i Ysgol Nos i ddysgu darllen yn y tywyllwch, yr *Open University* i ddysgu agor pethau, a'r Coleg Normal i fod yn . . . glyfar! Un peth na fedrwch chi ei ddysgu mewn unrhyw goleg ydi dawn medru deud y 'peth' iawn ar yr amser iawn. Ni chafodd Gari yr un coleg ond roedd ganddo'r gallu i ymateb i sefyllfa. Ychwanegwch at hyn ei ddawn a'i allu i gyfathrebu â phobol, ei ddoniolwch, ei ddireidi a'i agwedd tuag at fywyd ac roedd ganddoch chi rywun arbennig iawn.

Elwyn Williams

Yn eu canol nhw wrth recordio ym Mhenmachno

Gyda Wil Henblas, un o gymeriadau 'Rargian Fawr'

Yr Enw

Hyd y cofiaf i, fy syniad i oedd yr enw 'Gari Williams'. Ar y pryd, yn 1974, ro'n i'n cadw'r *Llew Gwyn* yng Ngherrigydrudion. Un noson, dyma Emyr ac Elwyn yn galw acw, ac wrth sgwrsio dyma nhw'n crybwyll nad oedden nhw'n hollol hapus gyda'r act fel ag yr oedd hi. Doeddwn i wrth gwrs ddim wedi eu gweld ers blynydde. Felly, fe ofynnon nhw i mi fynd i'w gweld mewn cabaret y noson ganlynol. Mi es i, ac ar ôl gweld yr act roeddwn i'n gwybod ar unwaith beth oedd o'i le. Ar y pryd, nid fy nyletswydd i oedd barnu a beirniadu, felly fe wnes i awgrymu wrth Emyr ac Elwyn y dylem ni gwrdd â'n gilydd yn y *Waterloo* ym Metws-y-coed y noson ganlynol — man canolog i bawb ohonom.

Wedi cwrdd, fe ddywedais ei bod yn amlwg beth oedd y broblem — neu yn hytrach beth oedd wedi digwydd i'w hact ers i mi eu gweld ddiwethaf. Roedd Emyr wedi troi'n ddigrifwr, ac Elwyn yn gorfod aros ar ei draed wrth ei ymyl — am hanner awr efallai — heb ganu o gwbl.

Felly, awgrymais y dylai Elwyn gymryd cam yn ôl i fod yn rhan o'r llais a'r offerynnau cefndir ac i Emyr gymryd cam ymlaen i fod yn ddigrifwr — ac yn brif leisydd. Cytunodd y ddau ar unwaith — yn enwedig Elwyn, mae'n amlwg ei fod wedi teimlo felly ers peth amser.

Awgrymais hefyd fod Emyr yn dewis enw syml a fyddai'n hawdd i'r Saeson ei ynganu, gan feddwl am y farchnad yn Lloegr — ac roedd yn rhaid gwneud hynny ar y pryd wrth gwrs. Felly, rhyw wythnos ar ôl hynny, fe ffoniodd Emyr a dweud eu bod wedi penderfynu ar yr enw Gari Williams. 'Iawn' medde finne. 'Beth am lansio'r enw?' Dwi ddim yn siŵr beth ddigwyddodd o hynny ymlaen, ond i rhywun fwcio *Tito's* yn y Rhyl ac mi ddois i â bws neu ddau draw o Gerrigydrudion. Ar y noson, cyflwynais Gari Williams fel person a fyddai'n enw mawr ym Mhrydain ymhen blwyddyn neu ddwy. Daeth Gari ymlaen, gyda Dilwyn ac Elwyn yn rhoi'r *backing*. Fe gododd y to. Roedd e'n wych.

Rai misoedd ar ôl hynny, gofynnwyd i mi gynhyrchu a chyfarwyddo — ac yn wir, sgrifennu pantomeim i Gwmni Theatr Cymru. Sgrifennais bantomeim o'r enw 'Madog', ac roedd yna un olygfa lle roedd Indiad Coch yn rhedeg o'r môr i'r traeth. 'Nes i ddewis Gari fel yr Indiad Coch ac yn wir, roedd e'n llwyddiannus dros ben — er i Gari am yr wythnos gyntaf gael ei beintio'n goch o'i gorun i'w sawdl gyda phaent. Penderfynais fod hyn yn hollol anheg arno, ac yna archebais *bodystocking* coch iddo. Felly dim ond ei wddf, ei wyneb, ei ddwylo a'i draed roedd o'n gorfod ei baentio. Chwarae teg iddo wnaeth o erioed gwyno!

Ar ôl y daith bu'n rhaid i mi symud i Gaerdydd i ymgymryd â gwaith arall. Fe gollais i gysylltiad â Gari fwy neu lai — a Dilwyn ac Elwyn hefyd. Ond wrth i'r blynyddoedd fynd yn eu blaen, cefais ar ddeall ei fod yn canolbwyntio mwy ar yr ochr actio.

Wrth gwrs, mae gen i atgofion di-rif am Emyr ac Elwyn yn gweithio hefo ni fel Ryan a Ronnie ac er bod hynny dros un mlynedd ar hugain yn ôl bellach mae'r dyddie hynny yn dal yn glir iawn yn fy nghof.

Ronnie Williams

Dwy sgets

Mynd â'r cŵn am dro

Sêt ar ganol y llwyfan hefo Dyn 1 yn eistedd arni yn darllen papur, daw Dyn 2 i mewn hefo 'lead' heb gi arni. Mae Dyn 1 yn edrych yn wirion tros ei bapur. Dyn 2 yn siarad hefo'r ci.

Dyn 2: Tyrd o'ne boi (*chwislo*). Tyrd, tyrd o'ne Pero. (*Gweld Dyn 1*) Su' mae. Mynd â Pero am dro?

Dyn 1: O!

Dyn 2: Ia'n tad, bob nos ychi, lawr Pero. (*Eistedd yn ymyl Dyn 1, hwnnw yn symud draw, am ei fod yn meddwl fod Dyn 2 yn hollol hurt*). Wrth ei fodd yn chware.

Dyn 1: O!

Dyn 2: 'Dach chi'n leicio cŵn?

Dyn 1: M. . . M. . . M. . . Yndw.

Dyn 2: Dwi'n falch, achos ma' Pero yn leicio chi.

Dyn 1: O? Sut 'dach chi'n gwbod hynny?

Dyn 2: Wel drychwch arno fo yn ysgwyd 'i gynffon.

Dyn 1: (*Trio plesio*) Wel, ydi mae o hefyd, pa frid ydi o dwch. (*Yn trio cadw ei hun rhag chwerthin*)

Dyn 2: Ci sosej te, 'dach chi'n gwbod rhywbeth am gŵn dwch?

Dyn 1: (*Yn dal i drio peidio chwerthin*) Mae'n ddrwg gen i, dwn i ddim be nath i mi feddwl mai jiwawa oedd o.

Dyn 2: Jiwawa? Be ydi'ch gêm chi. 'Dach chi'n meddwl nad ydw i'n gall tydach?

Dyn 1: Nac'dw wir, ond chware teg, toes 'ne ddim ci nac oes?

Dyn 2: Dim ci! Lawr, Pero, — 'dach chi wedi'i ypsetio fo'n lân rŵan 'to, dyna ti Pero. (*Troi at y dyn*) I be oedd ganddoch chi isio deud hynna a fynta mewn gwendid a phob peth?

Dyn 1: Mewn gwendid?

Dyn 2: Ia, newydd ddod adre mae o ar ôl bod hefo'r fet.

Dyn 1: Y fet?

Dyn 2: Ia, 'dach chi'n edrych ar gasanofa o gi yn fa'ma ychi, mwytha ti isio rŵan 'te Pero bach?

Dyn 1: Isio mwytha?

Dyn 2: O diolch yn fawr iawn ichi. (*Codi'r ci at Dyn 1*). Coswch dan ei ên o, mae o wrth ei fodd hefo hynny.

Dyn 1:	(*Yn edrych o'i amgylch i weld a oes rhywun yn edrych*) Helô Pero bach, dwi'n teimlo'n reit wirion yn gwneud hyn cofiwch, tyrd o'ne Pero bach . . .
Dyn 2:	Hei, be 'dach chi'n neud?
Dyn 1:	Chi ddeudodd wrtha' i am gosi dan ei ên o.
Dyn 2:	Ia, ond 'dach chi'n cosi'r pen anghywir tydach?
Dyn 1:	Ych a fi! 'Dach chi'n hurt ddyn!
Dyn 2:	Fi'n hurt, chi oedd yn cosi dan ei gynffon o!

Mae'r ddau yn codi, Dyn 1 yn gafael mewn tamed o gortyn hefo colifflowar ar ei ben o.

Dyn 1:	Tyrd o'ne Spot, 'dyw'r dyn yma ddim yn gall.
Dyn 2:	Pa fath o gi 'dach chi'n galw hwnna?
Dyn 1:	Coli 'te, tyrd Spot bach. (*Cerdded i ffwrdd*).
Dyn 2:	*Wrth y gynulleidfa*) Toes 'na bobol gwirion o gwmpas dwch? Tyrd Pero, *WALKIES*! (*Cerdded i ffwrdd*).

Gari Williams

Cerdded yn ei chwsg

Sgets i ddau ddyn ac un ferch. Mae bwrdd a dwy gadair ar y llwyfan. Props: un botel; dau wydr; pac o gardiau. Daw y ddau ddyn i mewn. Mae'n amlwg mai tŷ Dyn 1 ydi o ac mae wedi dod â Dyn 2 i mewn yn hwyr yn y nos.

Dyn 1:	Tyrd, eistedd, tyn dy gôt.
Dyn 2:	Iawn. Ti'n siŵr fod hyn yn iawn hefo'r wraig? (*Mae'n tynnu'i gôt ac yn ei rhoi ar gefn y gadair ac yn eistedd.*)
Dyn 1:	Yndi siŵr, gymi di dropyn bach?
Dyn 2:	Ia, os ti'n meddwl 'i bod hi'n iawn.
Dyn 1:	(*Ar ôl tywallt y ddiod mae'n eistedd i lawr*) Awydd rhyw gêm bach o gardiau?
Dyn 2:	Ia, iawn. (*Ar hyn mae merch ifanc yn cerdded i mewn coban fel pe tasai mewn trymgwsg; 'dyw Dyn 1 ddim yn cymryd dim sylw wrth iddi gymryd gwydr Dyn 2 a cherdded allan heb ddweud dim. Mae Dyn 2 wedi synnu.*)

55

Dyn 1: *(Wrth godi ei olwg oddi ar y cardiau)* Be sy'? Rwyt ti'n edrych fel taset ti wedi gweld bwgan achan.

Dyn 2: M . . . m . . . merch newydd fod yma, mae hi wedi mynd â'm diod i.

Dyn 1: O! Paid â phoeni, y wraig oedd hi — mae'n cerdded yn ei chwsg.

Dyn 2: O! ond fy niod i . . .

Dyn 1: Mae'n iawn, gei di o'n ôl yn bore. Rŵan tyrd inni ddechre'r gêm 'ma.

Dyn 2: Iawn. Snap ia?

(Ar ôl bod yn chware daw'r ferch i mewn eto, ond y tro yma mae'n mynd â sigarets Dyn 2.)

Dyn 2: Hei, gwranda!

Dyn 1: Be sy' rŵan?

Dyn 2: Mae hi wedi bod yma eto . . . Dy wraig di, mae hi wedi mynd â fy sigarets.

Dyn 1: Paid â phoeni, mi gei di nhw'n ôl yn bore! Rŵan dechreua di.

Dyn 2: Iawn, *(Dechrau chwarae cardiau, daw'r wraig yn ôl, a chodi Dyn 2; cymryd ei gôt a rhoi Dyn 2 yn ôl i eistedd, cyn cerdded allan. Mae Dyn 2 yn edrych ar ei hôl yn wirion.)*

Dyn 1: Tyrd o'ne, dy dro di ydi i luchio.

Dyn 2: Mae hi wedi mynd a 'nghôt i!

Dyn 1: Paid â phoeni ychan, gei di hi 'nôl yn y bore.

Dyn 2: Iawn.

(Mae'r ddau yn ailddechrau; mae'r wraig yn dod i mewn, cydio yn Dyn 2 a chychwyn ei hebrwng oddi ar y llwyfan.)

Dyn 1: Lle ti'n mynd?

Dyn 2: Paid â phoeni — gei di hi'n ôl yn y bore!

Gari Williams

Dwy sgets (o'r gyfrol *Ugain o Sgetsus*, Gwasg Carreg Gwalch, 1981)

Dylanwad y Dwyrain Pell
Trip i Singapore

Drwy gysylltiadau teuluol, roeddwn i'n adnabod Gari ers dipyn o amser ac erbyn Ebrill 1979 roeddwn i a fy nheulu yn dod i ddiwedd contract saith mlynedd yn y Dwyrain Pell, gyda chyfnodau yn Singapore a Malaysia. Roeddwn i wedi bod yn llywydd y Gymdeithas Gymraeg yn y ddwy wlad ac wrth feddwl am adael y rhan honno o'r byd, penderfynais fod rhaid gwneud hynny mewn steil ar ddydd Gŵyl Dewi 1979.

Roeddwn yn ôl yn Singapore erbyn hynny ond trefnais gyda 'nghyfeillion yn Malaysia ein bod yn cael adloniant o Gymru i ganu yn Singapore a Kuala Lumpu ar ddwy noson ddilynol — Mawrth y 1af a'r 2il.

Cafwyd bargen dda gan gwmni awyrennau Quantas a dyma benderfynu gwahodd Gari, Elwyn a Dilwyn draw. Wedi codi'r arian i dalu am bris y tocynnau, doedd lety ddim yn broblem.

Cyrhaeddodd Gari gyda dolur gwddw difrifol rhyw ddeuddydd neu dri cyn yr ŵyl. Gwaethygodd yn ystod y bedair awr ar hugain a ddilynodd. Ond aeth y Dr John Davies, ein doctor ni y Cymry yn Singapore, i'r gad yn erbyn y drygioni gan bwmpio pob math o feddyginiaethau i lawr lôn goch Gari ac er ei fod yn dal i ddioddef rhywfaint, fe'i cafwyd ar y llwyfan ar gyfer y cyngerdd cyntaf yn y *Tanglin Club*. Roedd dros ddau gant yno, y lle dan ei sang o bob cenedl dan haul, a rhyw ddeugain i hanner cant ohonom yn Gymry. Rhoddodd y triawd berfformiad eithriadol nes codi'r to. Ni phrofodd y Gymdeithas Gymraeg noson debyg iddi ers blynyddoedd ac roedd llawer o'r hen alltudion yn wylo gan lawenydd yr achlysur a chan yr hiraeth a brofid yn sgîl hynny.

Aeth criw ohonom i Malaysia i ganlyn y parti ar gyfer y cyngerdd yn y *Lake Club* y noson ganlynol. Os rhywbeth, roedd hon hyd yn oed yn well gan fod iechyd Gari bellach wedi gwella cryn dipyn.

Bu'r triawd gyda ni am bythefnos ac yn ystod y cyfnod hwnnw bu llawer o gyngherddau byrfyfyr mewn gwahanol dai gydag un parti mawreddog ar ddiwedd y bythefnos yn fy nhŷ i fy hunan gyda dros gant o wahoddedigion yn bresennol. Dydi Rebecca Road, Singapore byth yr un fath ers hynny!

Mae sawl stori arall i'w hadrodd am y dyddiau hynny — tripiau i ynysoedd ar hyd yr arfordir, ymweld â thraethau'r dwyrain a llawer iawn, iawn o brofi'r danteithion lleol yn y tai bwyta ochr pafin, gan fargeinio am bris y bwyd a'r diod. Un tro, roedd llong a'i llond o forwyr Cymreig yn yr harbwr, a daeth y criw i gydfwyta gyda ni yng nghanol Bugis Street. Parhaodd y canu cynulleidfaol hyd bedwar o'r gloch y bore a Gari yn ei elfen.

A'r nodyn personol, hunanol, hwn oedd y dull gorau posib i mi ffarwelio â'r Dwyrain Pell, ond cafodd y ddwy Gymdeithas Gymreig fodd i fyw hefyd yng nghwmni'r tri thrwbadŵr. Rhoddodd Gari a'i ddawn a'i adloniant fywyd newydd i Gymry alltud wyth mil o filltiroedd oddi cartref.

Barri John

58

Yr ymweliad â Singapore

Y Chwadan Grispi

Ro'n i'n nabod Gari yn dda am dros bymtheng mlynedd, felly mae hi'n anodd meddwl am *un* peth sy'n f'atgoffa ohono fo. Yr un stori amdano fo dwi'n gofio fel tasa hi'n ddoe ydi'r stori am y 'Chwadan Grispi'. Ia, dyna ddudis i! Mi oedd Gari wedi mopio efo bwyd Sieinïaidd ers iddo fo ddod yn ôl o Singapore, lle'r oedd o wedi bod yn gwneud taith cabaret. Mi fasa Gari yn bwyta bwyd Sieinïaidd o fore gwyn tan nos.

Pan oedd o'n gweithio efo fi yng Nghaerdydd (digwyddodd hynny'n aml iawn yn yr wythdegau cynnar) byddai'n aros efo fi ym Mhenarth. Ar ôl gorffen gwaith un prynhawn (gwneud Hafod Henri oeddan ni ar y pryd) mi benderfynodd Gari y basa fo'n coginio *Crispy Duck* inni i swpar, a'r trimins i gyd. Mi aeth ati i roi gwahoddiad i bawb acw o'r cast a ffrindiau eraill (un felly oedd Gari — licio parti). Mi aeth o i nôl y chwadan o'r siop arbennig 'na yn Riverside, Caerdydd, lle'r oedd y siopa Sieinïaidd i gyd yn gwerthu pob math o fwyd. Byddai o'n byw ac yn bod yn y stryd honno.

Mi ddoth adre i Benarth y diwrnod hwnnw, efo'r chwadan fwya welsoch chi erioed, a lot o bethau i wneud y saws arbennig i fynd efo'r deryn. Roedd o'n *noodles* ac yn *cashew nuts* drosto. Fy job i yn hyn i gyd oedd gofalu am y diodydd, a chadw'r *guests* yn hapus, tra oedd o'n paratoi. Ge's i fy hel o'r gegin gan Wilias er mwyn iddo fo gael lle i weithio.

Mi ddechreuodd pawb gyrraedd, ac mi es i â phawb i'r stafell i roi diod iddyn nhw. Mi ddoth Gari drwadd i'r stafell, yn 'i ffedog, ac ar ôl yr 'helô's', mi ofynnodd i mi sut oedd cynnau'r popty. Mi ddudis i wrtho fo, ac mi ddiflannodd i'r gegin. Mi ddoth yn 'i ôl mewn tua deng munud efo gwydraid o win, a deud y basa'r bwyd yn barod mewn tua awr a hanner. Roedd rhaid bwyta'r chwadan yn syth pan oedd hi'n barod. Mi aeth Gari ati i ddeud jôcs, ac mi oedd pawb yn ymlacio'n braf. Mi oedd y gwin yn mynd i lawr fel dŵr.

Mi aeth tua awr heibio, ac mi o'n i'n meddwl ei bod hi'n rhyfadd fod 'na ddim ogla cwcio yn dod o'r gegin. Mi es i drwadd i'r gegin yn slei bach, ('cofn 'mi gael row gan Gari). Dyna lle'r oedd y chwadan yn y popty, yn hollol amrwd. Mi oedd Gari wedi cynnau'r gril yn lle'r popty. Mi es drwadd i ddeud wrtho fo be oedd wedi digwydd, yn ddistaw 'cofn i neb arall glywed. Mi aeth y ddau ohonan ni i'r gegin, ac mi o'n i'n chwerthin nes o'n i'n wan, ond roedd Gari wedi mynd yn welw. Be oeddan ni'n mynd i neud?

Wel, mi ffoniodd Gari y *Riverside Restaurant* yng Nghaerdydd, ac ordro *Crispy Duck* a'r trimins i gyd, digon i naw o bobl, ac mi fasa fo'n ei gasglu fo. Yn y cyfamser mi rois i'r chwadan druan yn y *fridge*, ac mi ddudodd Gari wrth bawb ei fod o'n mynd i nôl ffags, ac mi ddiflannodd fel shot.

Cadwais i bawb yn ddifyr tra oedd o i ffwrdd. 'Mhen tua hanner awr mi sleifiodd Gari drwy'r drws cefn efo'r bwyd. 'Mhen dim mi ddoth drwodd at bawb a deud *'Dinner is served'* fel tasa dim byd wedi digwydd.

Doedd neb ddim callach, oherwydd erbyn hyn roedd pawb 'di dechra meddwi! Mi oedd pawb yn mwynhau, a Gari yn cael y clod i gyd. Ar ôl i bawb fynd y noson honno, mi oeddan ni ar ein traed am oriau yn chwerthin nes oeddan ni'n wan.

Mae colli ffrind fel Gari yn gollad fawr, ond mae straeon fel hyn yn cadw Gari mewn cof, ac yn dod â'r sbort a'r hwyl yn ôl i rywun.

Diolch am y 'laffs' Wilias.

Sue Roderick

Cof cyfeillion a chydweithwyr

Rhaffu jôcs a chwlwm cyfeillgarwch

Rhyw deimladau cymysg iawn sydd gen i wrth geisio llunio ychydig o atgofion ichi fel hyn, mae'n rhaid dweud. Yr unig beth trist y galla' i feddwl am Gari oedd ei farwolaeth ef. Mi roedd popeth ynglŷn â'r bachan yn llawn llawenydd. Roedd e wastad â gwên ar ei wyneb, direidi yn ei lygaid. Roedd e'n eithriadol o garedig wrth y plant 'ma bob tro y byddai'n galw yma yng Nghaerfyrddin ar ei daith yn rhuthro o un man i'r llall.

Mae e wedi gadael gwacter mawr ar ei ôl. Dwi ddim yn credu bod 'na neb sydd wrthi nawr ar lwyfannau Cymru yn gallu'i gyffwrdd ef o ran bod mor amryddawn, bod cystal gyda phlant, bod mor ddoniol wrth ganu. Y diddanwr cyflawn, fel Ryan o'i flaen e.

Ac roeddwn i'n ei gyfrif e fel ffrind ar ben hynny. Nawr, y peth rhyfedd ydi nad ydw i'n cofio sut y daethom ni'n ffrindiau. Mae'n rhaid mai trwy olygydd Radio Cymru ar y pryd, Lyn Jones, achos dwi'n cofio un noson yn arbennig ac mi ddechreua' i gyda honno. Dwi'n cofio iddo fod yn cyflwyno noson yn Llanelli ychydig ddyddiau cyn y Nadolig. Rhyw sioe Nadolig Radio Cymru, ac ar ôl hynny parti mawr yn nhŷ Lyn Jones yn Ynys Tawe. Rwy'n cofio mynd yno — roedd y lle'n llawn o'r artistiaid oedd wedi cymryd rhan, y bobl oedd wedi bod wrthi ar yr ochr gynhyrchu a Wilias yn ei chanol hi. Fe ddechreuon ni sesiwn jôcs ond amaturiaid oedd pawb o'u cymharu â Gari Williams ar y noson. Fe aeth e 'mlaen a 'mlaen ac fe siaradodd drwy'r nos — yn llythrennol — dwi'n cofio hyn yn union fel tase hi'n ddoe gan ei fod e wedi siarad a rhaffu'r jôcs 'ma heb ailadrodd ei hun tan tua saith o'r gloch y bore. Dyna pryd y penderfynodd e bod eisie inni i gyd fynd i'r gwely. Wel, am ugain munud wedi saith roedd rhaid i mi godi — roedd gen i Stondin i'w gwneud y diwrnod hwnnw, a dyna un rheswm pam fy mod i'n cofio'r noson cystal.

Ond un fel 'na o'dd e — roedd e'n anhygoel yn y ffordd yr oedd e'n gallu cofio jôcs. Ac roedd e'n gallu cofio enwau hefyd — enwau plant a chofio enwau pobl yn y gynulleidfa.

Rwy'n cofio un noson — noson drist, o'n i'n meddwl 'ta beth — ond falle na ddangosodd e hynny ar y pryd. Eto, rwy'n credu ei bod hi wedi gadael ei ôl arno fe druan, achos o fewn ychydig ddiwrnodau ar ôl hynny, fe glywais ei fod e wedi cael ei daro'n wael.

Roedd e'n perfformio yn y Ganolfan ym Mhenyrheol, Gorseinon ac aeth Glenys a fi draw ac roedden ni'n meddwl y byddai'r lle'n llawn, does bosib. Gari Williams yno ar daith band un dyn — noson o adloniant heb os. Wel, siom fawr oedd cyrraedd yno a dim ond rhyw ddau ddwsin o bobl yn y Ganolfan. Ond roedd e'n gallu dweud jôc ac yn gallu cofio rhywbeth am bron pob un o'r bobl oedd yn y gynulleidfa. Wel nawr, i fi ac unrhyw un arall, fuaswn i byth wedi gallu bod yn afiaethus y noson honno ond roedd Gari druan yn rhoi o'i orau gant y cant y noson honno fel pob noson arall — fel pe bai 'na ddau gant a hanner yno, fel pe bai hi'n un o nosweithiau mwyaf ei fywyd e. Ond roedd e'n teithio 'nôl gartref y noson honno. Roedd hynny'n golygu gadael tua un ar ddeg ar ôl cael un llymed gyda ni a chael un sgwrs fach, yna mynd, mynd 'nôl am y gogledd. Roedd hynny'n straen ynddo'i hunan ac ro'n i'n dweud wrtho fe bod rhaid iddo fe arafu, ond, 'na fe, fydde fe ddim yn gwrando.

Roedd y noson honno i berfformiwr, rwy'n credu, yn rhywbeth a fydde wedi gadael clais, siŵr o fod. Mae'n ddigon rhwydd i feddwl 'nôl nawr, ond fe fydde hi'n noson y byddai e yn moyn ei hanghofio. Eto, roedd 'na nosweithiau anfarwol, nosweithiau mawr a llawer o bethe yr yden ni'n gallu eu trysori o hyd.

Roedd e bob amser yn 'drychyd ar ôl ei ffrindie, Gari. Roedd yn rhaid i Hywel Gwynfryn a finne fod ar ei sioeau teledu fe yn aml iawn. Nawr, do'n i ddim yn ffitio i mewn. Dwi ddim yn gomidian, dwi ddim yn ddiddanwr na ddim byd fel 'na. 'O! na, mae'n rhaid iti ddod, mae'n rhaid iti ddod — gei di fod mewn sgets neu rywbeth felly.' A dyna fel yr oedd hi. A finne'n trio dysgu leins a fynte wrth gwrs yn feistrolgar dros ben yn ceisio unioni'r pethe, ac yn cyfro! O! oedd, roedd e'n cuddio'r beiau i gyd. Ar un sioe Nos Galan, ro'n i'n canu ar ei sioe e a dyna'r unig bryd, rwy'n credu, i Hywel a finnau gael beirniadaeth go lem. Doedd Gwynfryn na finnau ddim yn gallu bod mewn tiwn a do'dd dim hyder gyda fi i ganu. (Dwi ddim yn gallu canu!) Ond roedd rhaid — roedd Gari wedi dweud, roedd Gari yn mynnu ein bod ni gwneud. Fe aethon ni drwyddi, wrth gwrs, ond wnelen ni byth mo hynny oni bai ei fod e'n gallu canu gystal, yn canu lawer yn well na ni ac yn fwy o *showman* na ni. Ac roedd hynny'n amlwg ar y noson hefyd, heb os nac oni bai!

Nawr, un o'r pethau oedd yn rhyfedd — dwi wedi gweld hyn yn digwydd gyda llawer iawn o bobl pan fydde fe'n galw yma — fe fydde fe'n siarad, wrth gwrs, mi fydde fe'n sgwrsio obwyti Radio Cymru, obwyti teledu, obwyti'r sioeau ac yn y blaen, am rai *routines* oedd gyda fe ar y gweill, a gofyn am farn, a gofyn am hyn, llall ac arall. Ond yn rhyfedd iawn, fydde fe byth yn rhaffu storïau yn ddi-dor gyda ni. Doedd e ddim mewn sioe yn fan hyn — roedd e gyda ffrindiau. Roedd e'n breifat bryd hynny, a Gari Williams y dyn caredig o'dd e, y ffrind. Ond unwaith y bydde rhywun yn dod i'r tŷ pan fydde fe 'ma, neu unwaith y bysen ni'n mynd allan i rywle, yna wedyn mi fydde'r hen Wilias yn cael ei demtio i 'weud straeon fel Dai Jones, Llanilar a methu stopio. A hwyl, ynte, a phawb wrth eu bodde yn gwrando arno.

Rwy'n cofio'i gyflwyno fe fel rhan o'r ddeuawd Emyr ac Elwyn mewn noson lawer yn San Clêr un tro — crwt cymharol ifanc oeddwn i ar y pryd. Wel, fe ddiflannodd Emyr ac Elwyn — diflannodd Emyr am beth amser a daeth yn ôl yn Gari ar ôl bod ar y syrcit yn Lloegr, yn dysgu sut oedd bod yn ddiddanwr drwy orfod wynebu'r holl gynulleidfaoedd anodd sydd yn y clybiau 'na yn Lloegr. Bwrw'i brentisiaeth a dod 'nôl wedyn i lwyfannau Cymru a dyna pryd y gwnes i ddechrau rhyw ymdoddi i mewn i gyfeillgarwch gyda Gari.

A dyna beth oedd e'n gallu'i wneud wrth gwrs — mi ymdreiddiodd. Roedd pobl yn dwli arno fe achos doedd e ddim yn gorfodi'i hunan ar neb. Roedd e mor boblogaidd gyda'i sioeau radio, ei sioeau teledu a'i adloniant byw nes ei fod yn tyfu arnoch chi. Dyna sut y bu'r cyfeillgarwch rhyngom ni.

Rwy'n ei gofio gyda Hywel, Prys a finne yn cerdded — roedd pawb isie dod mas i weld Gari a Hywel ac yn y blaen. Doedd e ddim wedi ymarfer o gwbl ar gyfer y daith honno, a ddylie fe byth fod wedi dod gyda ni. Yn Aberteifi, fe aethon ni i lawr at yr Emanuels ac roeddent hwythau yn ddigon caredig i roi sheri inni ar y noson. Wel, fe dynnodd e Gari ei sanau a'i sgidiau ac roedd ei draed e'n waed i gyd. Roedd e'n amlwg mewn dipyn o boen. Fe ga'th fath ac yn y blaen, ond y noson honno roedd rhaid cael cyngerdd. Roedd rhaid i Gwynfryn gael cyngerdd ym mhob man. Dyma ni'n bwrw 'mlaen — a chi'n gwybod pwy oedd y mwyaf afieithus y noson honno? Ie, Gari. A 'run peth ym Mhorthmadog. O, gallech chi feddwl ei fod e ar fynd pan oedden ni'n cyrraedd — roedd e mewn poenau dirfawr. Ond dyna fe'n dod 'mlaen ac yn eu llorio nhw gyda'i jôcs a'i ganu. Unwaith roedd e o flaen cynulleidfa, roedd e'n newid i gyd.

Dyma ddod at un stori arall amdano fe. Fe ge's i'r fraint ddwy waith o fod yn gadeirydd pwyllgor rhieni Ysgol y Dderwen ac yn ystod y tro cynta, rwy'n cofio'n iawn ein bod ni'n chwilio am ffyrdd i godi arian. Fe ga'th rhywun y syniad o gael rhyw fath o gabaret. Fe ddwedes i: 'W!

ma' gen i ffrind fydde'n dda iawn fel cabaret — Gari Williams'. Doedd neb yn gwybod dim amdano fe — doedd neb wedi'i weld e ar y teledu bryd hynny. Y tro cynta yr o'n i'n gadeirydd, fe aeth y peth yn angof, er ei fod e wedi dweud 'Os wyt ti isio help, ddo' i lawr i wneud noson iti'. Ond na, doedd dim byd yn tycio.

Wel, mewn ychydig flynyddoedd dyma fi'n dod yn gadeirydd unwaith eto ac fe gofies i fod Wilias wedi dweud unwaith eto, chware teg iddo fe, cynnig wnaeth e os oedd unrhyw beth yr o'n i eisiau, fe ddeuai i lawr am ddim i gadw noson imi. Ac fe ddwedes i yn y pwyllgor — beth am y cynnig wnes i chydig flynyddoedd yn ôl, beth am gael Gari? 'W! Ym! Ie, reit 'ta,' ond rhywsut neu'i gilydd do'dd 'na ddim brwdfrydedd mawr, mae'n rhaid imi ddweud yn onest. Ond fe ge's i fy ffordd yr ail waith. A rhag ofn na fydde'r peth yn gweithio, beth wnaethon nhw oedd gofyn i grŵp lleol poblogaidd a bywiog iawn Dwy a Dime ddod yno hefyd. (Wel, eitha poblogaidd. Roedd plant y merched yn Ysgol y Dderwen beth bynnag!) A dyna ni'n dod i'r noson yn y *Llwyn Iorwg* yng Nghaerfyrddin gyda Meinir Lloyd — mae hi'n anhygoel, mae hi mor dalentog yn gallu cyfeilio i unrhyw un ar fyr rybudd — oherwydd doedd Dilwyn Roberts ddim wedi dod i lawr gyda Gari er mwyn arbed costau. Dyma Gari'n mynd mas am y tro cynta i wneud 'i *routine* i dwymo'r gynulleidfa. Beth ddeuai o hyn nawr? Wel! bois bach doedd pethe ddim yn tycio o gwbl. Ro'n i'n gallu ei weld e fel pe bai'n mynd yn erbyn y wal. Doedd pethe ddim yn mynd yn dda i'r hen Wilias. O iechyd, falle nad oe'n nhw'n deall ei hiwmor e? Falle nad oe'n nhw'n deall ei jôcs e? Wel, o'n i'n dechrau chwysu a phoeni yn fan'ny, ond yn sydyn reit dwy neu dair munud y bu e, dyna fe'n galw ar Dwy a Dime. Ro'n i'n meddwl y bydde fe 'mlân am o leia ugain munud ond na, galw Dwy a Dime wna'th e. Nhw wrthi'n fywiog dros ben ond ro'n i'n gwylio Wilias. Roedd e wedi troi ei gefn yn y gornel fan'ny ac yn meddwl — ro'n i'n gallu gweld y compiwtar jôcs yn gweithio, yn aildrefnu ac addasu. 'Ma fe'n dod 'nôl. Welson ni ddim mo' Dwy a Dime rhagor y noson honno. Roedd e'n dechre tua wyth — roedd e'n dal i fod wrthi am un o'r gloch y bore. Doedd neb yn fodlon iddo fe adael y llwyfan. Roedd e wedi newid y rwtîns a newid chydig bach ar y dull roedd e'n traddodi y jôcs a'r straeon ac yn y bla'n. Fe ganodd — roedd pobol yn dyheu am ei glywed e'n canu. Wel nawr, fel ym Mhenyrheol fe alle fe yn hawdd fod wedi torri'i galon ar ôl y ddwy funed gynta, ond na, roedd Wilias yn benderfynol o beidio â gadael y

gwesty hwnnw heb ennill pob un galon yn y gynulleidfa. A dyna beth ddigwyddodd. Roedd hwnna yn arwydd o'i broffesiynoldeb e a'i ddawn fawr e gyda chynulleidfa. Roedd e'n feistr.

Fe ddaethon ni'n ffrindie agos. Fe gawson ni'r chwiw carafanio gyda'n gilydd ac roedden ni'n mynd yn ddau deulu i garafanio yn y Steddfode ac ati. Ac wrth gwrs, gyda'r carafanio roedd rhaid mynd yn posh a dod â'r barbaciws 'da ni ac yn y blaen. Mae lot o bobol yn dweud pethe cas am farbaciws ond dwi'n eu gweld nhw gyda'r pethe mwyaf cymdeithasol sy'n bod. A phan fydde 'na farbaciw yn mynd yn ein carafan ni yn ystod y Steddfod, mi fydde fe Wilias yn dod ac yn mynnu dod â'r cig oedd ei angen i gyd. Mi fydde fe'n paratoi'n ofalus ac yn marinetio'r cig a phopeth ac yna'r hwyl a'r chwerthin yn llifo wrth goginio. Falle y bydden ni'n cychwyn yn griw bach o ryw chwech, ond mi fydde fe'n siŵr o gymdeithasu a bydde rhagor yn tynnu cadeirie a rhannu'r noson. Wel, weithie mi fydde cymaint â hanner cant yn casglu o gwmpas y garafan yn mwynhau'r sioe. Oherwydd dyna fydde hi — perfformiad, a fynte wrthi heb yn wybod iddo'i hunan, bron.

Mae Glenys wastad yn f'atgoffa i amdano fe a Hafwen yn dod i lawr i garafanio yn Abergwaun ac fel y bydde fe'n dod draw i'n carafan ni drwy'r cae enwog hwnnw — a hynny mewn sgidie gwyn! Dyna lle'r oedd e'n ceisio cerdded yn ofalus a chadw'r sgidie gwyn rheiny (o bopeth!) yn lân ac yn creu hwyl fawr. Fydde neb yn mynd â sgidie gwynion i unrhyw Steddfod heb sôn am Steddfod Abergwaun, ond roedd Wilias yn wahanol.

Ond yr hyn rydw i'n ei gofio fwyaf amdano yw'r caredigrwydd a'r agosatrwydd 'ma. Hyd yn oed os na fydde fe ond yn galw ar hast wrth fynd i rywle arall, dwi ddim yn credu iddo erioed fod yn ein tŷ ni heb iddo fe roi rhywbeth i Owain a Branwen yn dawel bach cyn iddo fe fynd. Dyna beth rwy'n credu y bydd y rhan fwyaf yn ei gofio am Gari.

Sulwyn Thomas

Llwyfan Cabaret

Mae'r stori'n cychwyn ar nos Fercher, Rhagfyr 18fed, 1974. Yr achlysur oedd parti Nadolig y pensiynwyr yn y *Labour and Social Club*, Cyffordd Llandudno. Noson o adloniant gyda Charlie Harris, digrifwr o Lerpwl; Kathleen Hooson, cantores o'r Wyddgrug ac Emyr ac Elwyn, dau frawd o Fochdre, ger Bae Colwyn. Ro'n i wedi bod yn gyfeilydd i'r hogia o dro i dro ers rhyw dair blynedd, ond roedd y noson yma yn un dyngedfennol i mi, oherwydd dyma'r noson y cefais wahoddiad i ymuno â'r hogia fel cyfeilydd llawn amser.

Roedd 1974 wedi bod yn flwyddyn lwyddiannus iawn i'r ddau. Yn ôl yn yr haf, roedd Cyngor Bwrdeistref Colwyn wedi penderfynu defnyddio ystafell fwyta *Y Pedair Derwen* ym Mharc Eirias fel lleoliad i gynnal cyfres o gabarets Cymraeg, neu i fod yn fanwl gywir: *Welsh Style Cabarets, with our English Guests in mind.*

Emyr ac Elwyn oedd y prif westeion, gyda minnau ar yr organ a chyfaill o Swydd Efrog, John Walters, ar y drymiau. Yn ogystal â ni'r *residents*, roedd 'na westeion gwahanol yn mynd i ymddangos pob wythnos, artistiaid fel Glyn a Taid, Y Mellt, Ann Coates, Côr Llanddulas, ac amrywiaeth o gantorion canu gwlad.

Aeth y noson gyntaf, nos Lun, Gorffennaf 1af, yn eithriadol o dda; dyma sgrifennodd adolygydd y *North Wales Weekly News*, Alan Twelves, o dan y pennawd *'Welsh Cabaret Hits the Right Note'*, yn y rhifyn a ymddangosodd ar y dydd Iau canlynol:

. . . he (Emyr) read the audience quickly . . . identified what went and what didn't and got total involvement from the capacity audience.

Llwyfan Emyr oedd hi o'r cychwyn cyntaf, ac er bod y gwesteion yn bwysig i'r nosweithiau, roedd amserlen y sioeau wedi ei chynllunio o gwmpas yr hogia. Dyma sut dwi'n ei chofio hi:

9.00 Agorawd: Organ a Drymiau
9.10 Pecyn cyntaf **Emyr ac Elwyn**
9.30 Gwestai 1
9.50 Gwestai 2
10.10 Dawnsio: Organ a Drymiau
10.30 Ail becyn **Emyr ac Elwyn**
10.45 Gwestai 1
11.05 Gwestai 2
11.25 Saib i'r Drymiwr a minnau gael mynd i'r lle chwech!
11.30 Trydydd pecyn **Emyr ac Elwyn**
12.00 Nos Da (gan amla, roedd y sioeau'n gorffen tua 12.30 a.m.)

Wedi ei osod ar ddu a gwyn fel hyn, mae'n hawdd gweld mor ddibynnol oedd llwyddiant y noson ar gyfraniad yr hogia. Y pecyn cyntaf oedd yr un allweddol, oherwydd yn yr ugain munud yna roedd rhaid i Emyr sefydlu awyrgylch yn yr ystafell, cynhesu'r gynulleidfa a gosod ei stamp arbennig ar y sioe.

Ym myd adloniant ysgafn, mae'n hawdd iawn dibrisio'r doniau sy'n rhan hanfodol o gyfansoddiad diddanwyr fel Emyr. Mae'r hyn mae'r math yma o ddiddanwr yn ei gyflawni'n edrych mor hawdd, naturiol a digymell. Yn wir, doedd neb yn sylweddoli ar y pryd faint y gamp roedd Emyr wedi ei chyflawni mewn gwirionedd. O fod yn ganwr aeth yn ei flaen i ddweud ambell jôc rhwng y deuawdau hefo ei frawd, nes yn y diwedd datblygu i fod yn ddiddanwr a oedd hefyd yn digwydd bod yn ganwr.

Ond beth achosodd y newid? Natur a chynllun yr ystafell, efallai? Y gynulleidfa? Roedd yno wynebau cyfarwydd a chyfeillgar bob amser. Yr hyder oedd wedi bod yn datblygu'n ddistaw bach dros y blynyddoedd? Neu'n syml iawn, oherwydd ei fod yn barod. Does 'na ddim ateb pendant, ond fel un a oedd yn dyst i'r digwyddiad, dwi'n gwybod 'taw dros y ddeng wythnos yna, yn ystod haf 1974, y ganed Emyr Pierce Williams, y diddanwr aeddfed, hyderus, cwbwl broffesiynol.

Roedd y nosweithiau yn llwyddiant ysgubol, ac roedd hi bron yn amhosib i'r ymwelwyr gael gafael ar docynnau oherwydd bod y trigolion lleol wedi'u bachu wythnosau ymlaen llaw. Beth bynnag, manteisiodd Emyr ar y llwyddiant i ddatblygu ei ddawn gomedi. Dechreuodd arbrofi hefo'r dechneg ddiddanu yn yr arddull *stand up* drwy weithio'n agos iawn at ei gynulleidfa a gwneud yn fawr o'i degan newydd, y *Radio Mic*. Bellach, doedd 'na ddim weiran i'w glymu i'r llwyfan, felly roedd o'n rhydd i ddefnyddio'r ystafell i gyd. Rwy'n ei gofio'n crwydro o gwmpas yn ystod y gân agoriadol, yn arwain partïon oedd wedi cyrraedd yn hwyr i'w byrddau, ac ar fwy nag un achlysur, yn dilyn ambell un i le chwech y dynion: '*My God, you don't work for a living, do you?*'

Hefyd, yn sgîl y rhyddid yma gallai weld ei gynulleidfa, rhywbeth anghyffredin i'r comedïwr sy' wedi arfer bod ynghlwm o flaen goleuadau'r llwyfan. Yn fuan iawn roedd ganddo'r hyder i sbecian yn sydyn ar draws yr ystafell cyn glanio ar gymeriad oedd yn digwydd gwisgo rhyw dilledyn anarferol. Cofiwch ein bod ni ynghanol y degawd hwnnw pan aeth steil geidwadol i'r wal. Roedd pobol yn fodlon gwisgo siacedi hefo coleri fel baneri, trowsusau llodrau llydan, heb sôn am grysau a theis di-chwaeth . . . ac roedd y dynion yn edrych yn reit od hefyd! Roedd hyn i gyd yn raen i felin comedi Emyr; doedd neb yn saff, hyd yn oed y weinidogaeth:

Emyr: (yn crwydro'r ystafell) *Right, who else is in tonight?*
(yn cerdded rhwng y byrddau ac yn gweld gŵr yn eistedd yn union o dan un o'r *spotlamps* oedd wedi eu lleoli uwchben pob bwrdd)

Emyr: *Who's this then, sitting in the light?* (chwerthiniad cyn troi i'w wynebu, a gweld ei golar)

Emyr: *Good God . . . I might have known! Evening Vicar.*

Roedd y llinell yna ynddi ei hun yn ddigon i godi'r to, ond mi aeth yr hen Wilias ymhellach:

Emyr: *Enjoying yourself, Vicar?*

Gweinidog: *Er . . . I'm a Canon, actually.*

Emyr: *A Canon? Duw, you're doing well, Paul was only a Pistol!*

Hen un? Wrth gwrs! Ond i feddwl amdani ar fyr rybydd, a'i hadrodd mor sydyn? I ddyfynnu Alàn Twelves unwaith eto:

Hoary old jokes, yes . . . but the innocent gaze following the pay off line is irresistable.

Ar ôl llwyddiant yr haf, penderfynodd y Cyngor barhau â'r nosweithiau a'u cynnal unwaith y mis trwy'r gaeaf. Yn yr hydref, aeth y tri ohonom â'n gwragedd i Lundain am wythnos o wyliau. Ar ôl dychwelyd, cychwynnodd Emyr weithio ar becyn o jôcs am y gwyliau hwnnw. Mae 'na un yn arbennig yn glynu'n fy ngho' i o hyd, yn bennaf oherwydd ei bod hi'n un o'r jôcs 'na sy'n adeiladu'n ara deg trwy gyfres o *pay-offs*, nes bod y gynulleidfa'n llythrennol yn ei ddwylo. A 'toedd Wilias yn medru'i delifro hi! Dyma hi, stori ddifyr am ferch o'r enw, Nelly Dunn:

Emyr: *We've just come back from London. What a place! Anyway, before we went, my next door neighbour, Mrs Dunn, said to me,* (llais addas) *'Oh Emyr, if you're going to London, can you look up my daughter, Nelly? I haven't had a letter from her for over two years.'*
'Certainly, Mrs Dunn, whereabouts in London does she live?'
'London, WC 2, now you won't forget, will you Emyr?'
'No I won't forget, London, WC2.'
So off we went to London. Anyway, one day we had a bit of a session on the Watneys Red Barrel and we were walking up Piccadilly desperately searching for a toilet. We got to Piccadilly Circus and saw the signs for the Underground, and, thank God, the Gents toilet. We went down the stairs and there were a row of doors marked W.C.1, W.C.2, W.C.3 and so on, so I said to Elwyn, 'We've found her . . .' (saib)
'Mrs Dunn's daughter, Nelly!' (Yr ymateb cyntaf)
So I knocked on the door marked W.C.2 and I shouted,
'Are you Nelly Dunn in there?' (Yr ail ymateb) *then a voice answered, 'Yes, but I've got no paper!'* (Y trydydd ymateb) *'Well that's no excuse for not writing to your Mother, is it?'*

Mae'r chwerthin yn atseinio yn fy nghlustiau fel dwi'n sgrifennu'r jôc hon, ac mae hi yn dal i wneud i mi wenu, a hynny ar ôl ei chlywed hi ugeiniau o weithiau dros y blynyddoedd mewn nosweithiau llawen, cabarets, cyngherddau a phantomeimiau.

Erbyn 1976, roedd newid mawr ar y gweill gan y ddau frawd, newid na fyddai'n plesio swyddogion Cyngor Bwrdeistref Colwyn. Yn yr hydref, cyhoeddwyd bod Emyr ac Elwyn am newid enw'r act i 'Gari Williams & Company'.

72

Criw cabaret Y Pedair Derwen

Hybu Bae Colwyn mewn cabaret yn Coventry

Wedi tair blynedd lwyddiannus, roedd swyddogion y Cyngor yn anfodlon iawn i'r hogia newid eu henwau cyfarwydd am un newydd, hollol ddieithr. Y broblem fwyaf oedd nad oedd y Cyngor wedi sylwi ar y newidiadau fu yn eu perfformiadau ers Gorffennaf 1974. Bellach, roedd 'na un dyn yn y tu blaen gyda dau arall yn cyfeilio yn y cefndir, ac o dro i dro yn ystod yr act, byddai'r ddau yn y cefn yn sefyll fel *stooges* neu gocynnau hitio comedi. Hefyd, yng ngwanwyn y flwyddyn honno, fe gymerodd y tri ohonom y cam mawr a rhoi'r gorau i'n gwaith dyddiol er mwyn troi'n broffesiynol llawn amser. Cyn hynny, yn ogystal â pherfformio pob gyda'r nos a chydol y dydd, roedd Elwyn yn cadw siop recordiau, minnau'n cynnal busnes gosod aerials ac Emyr yn teithio o gwmpas fel gwerthwr ar ei liwt ei hun. Felly, yn ystod y ddwy flynedd rhwng 1974-76 roedd ein hagweddau ni wedi newid cryn dipyn.

Beth bynnag, parhaodd y cabarets yn *Y Pedair Derwen*, hefo Emyr yn dal i ymddangos yn achlysurol, tan yr wythdegau cynnar. Yn ôl fy nyddiadur i, ei ymddangosiad olaf oedd ar Fedi 10fed, 1981. Erbyn hynny, roedd o'n hen stejar go iawn, hefo profiad o weithio ar lwyfannau ledled Prydain, heb sôn am ben draw'r byd yn Singapore a Malaysia. Roedd o hefyd wedi sefydlu ei hun yn gadarn fel cymeriad o'r enw Gari Williams, ac mae'r blynyddoedd o hwyl a helynt a ddaeth yn sgîl y datblygiad yna yn destun ribidires o draethodau ar wahân. Coeliwch chi fi!

Mae fy nyled i i Emyr ac Elwyn yn un fawr iawn. Ar Ragfyr 18fed, 1974, ychydig o Gymraeg oedd ar fy nhafod i. Yn wir, roedd yr hyn oedd gen i yn giami ar y naw. Dros y blynyddoedd, cefais wersi anffurfiol gan y ddau frawd yn y car ar y ffordd yn ôl ac ymlaen i'r clybiau. Felly, fel y gwelwch, mae 'na fwy nag un ystyr i ambell deyrnged, on'd oes 'na?

Diolch Wilias, am yr hwyl, yr helynt a'r profiad helaeth.

Emyr: Arglwydd, 'sa hwn 'di bod yn beryg ychi . . . (saib) . . . 'sa fo 'di cael addysg!

Dilwyn Roberts

Wilias

Rwy'n cofio fel ddoe y tro cynta imi gwrdd â Wilias. Ro'n i wedi cael gwahoddiad gan Idris Charles i arwain y cyngerdd pop cynta o'r Majestic yng Nghaernarfon, ac roedd y nerfau yn chwarae hafoc gan 'mod i wedi llwyddo i osgoi perfformio ymhellach i'r gogledd na Machynlleth cyn hynny!

Ta beth, ar y noson dyma fynd ar y llwyfan a dechrau gyda dwy stori dda i gynhesu'r gynulleidfa. Trwy lwc, roedd y cyfaill Trefor Selway wedi fy helpu i addasu'r jôcs i dafodiaith y gogledd, ac mi gawson nhw dderbyniad gwresog gan y gynulleidfa yng Nghaernarfon.

A 'mlaen â fi i gyflwyno'r act gynta, sef y ddau frawd yma o Fochdre ger Bae Colwyn. Dyma annog y gynulleidfa i roi croeso i . . . do, fe anghofies i beth o'dd eu henwau nhw! Yn y diwedd bu'n rhaid i mi eu galw i'r llwyfan, holi eu henwau a chael y gynulleidfa i roi croeso i Emyr ac Elwyn.

Treuliais weddill y noson yn ymddiheuro i'r ddau, ac am flynyddoedd wedyn bu Gari yn f'atgoffa am y cawdel agoriadol ar ein cyfarfyddiad cynta.

Roedd yr ail dro i mi gyfarfod Gari yn fythgofiadwy hefyd. Ychydig flynyddoedd yn ddiweddarach es ar fy ngwyliau i Majorca am bythefnos, a hynny ar ben fy hunan, a chael amser da yn cyfarfod hwn a'r llall, a gwneud ffrindiau. Ar yr ail Sadwrn dyma ymweld â'r ganolfan siopa yn y dre i chwilota am anrhegion. Wrth gerdded allan o un siop sylwais ar y ddau gwpwl yma yn cerdded lawr y stryd. Er mawr syndod i mi, roedd y ddau ddyn ifanc oedd gyda'r merched yn edrych yn debyg iawn i Emyr ac Elwyn. Felly i ffwrdd â fi fel rhyw Inspector Cluso a dechrau eu dilyn lawr y stryd i weld os oedden nhw yn siarad Cymraeg.

Pan glywais i acenion gogleddol dyma gerdded rhyw fymryn yn gynt a dechrau chwibanu a chanu cân oedd yn boblogaidd iawn ganddyn nhw yr adeg honno — 'Cariad'. Trodd y pedwar i edrych ar ei gilydd ac yna troi a 'ngweld i y tu ôl iddyn nhw yn canu'r gân nerth esgyrn fy mhen.

Hedfanodd yr ail wythnos o wyliau yng nghwmni difyr Emyr a Hafwen ac Elwyn ac Edwina, hwythau yn dod draw i'm gwesty i a finnau yn ymweld â hwythau. Ar y dydd Sadwrn olaf hwnnw y ffarweliais i â Majorca, pwy oedd yn helpu gyda'r bagiau, ac yn ffarwelio â fi yn y maes awyr — neb llai na Gari. Wrth iddo fynd 'nôl o'r maes awyr i'r gwesty fe agorodd y cymylau a daeth y glaw trymaf yn hanes yr ardal i lawr. Hynny tra bo Wilias bach yn cerdded 'nôl i'w westy yn 'i ganol e. Ac wrth gwrs, roedd yr hanesyn hwnnw am y tro y bu iddo bron foddi wrth f'achub i yn un a glywais sawl gwaith ganddo wedi hynny.

Flynyddoedd yn ddiweddarach a minnau erbyn hynny wedi llwyr ymroi i fy ngwaith fel rheolwr cwmni adeiladu yng Ngogledd Cymru, daeth gwaith ailadeiladu Gorsaf Reilffordd Bae Colwyn i ddwylo'r cwmni. Roedd yn gontract blwyddyn a mwy a olygai y bydde rhaid i mi aros ym Mae Colwyn ambell i noson.

Gallwch ddychmygu'r croeso gefais gan Wilias, Haf a Nia Wyn. Roedd 'na stafell yn y tŷ wastad ar gael imi aros ynddi, a braf oedd cael ymlacio yn eu cwmni gyda'r nos.

Yn ystod y cyfnod yma fe fu Gari a minnau yn siarad llawer am adloniant, jôcs, doniolwch a gwaith radio a theledu. Fe gawsom lawer i baned a brechdan, ac ambell B.B.Q a'r canlyniad yn y diwedd fu iddo lwyddo i'm perswadio i.

Yn ddiweddarach, ymunais gydag ef a'i frawd, Elwyn, a Dilwyn Roberts (y pianydd) a ffurfio Cwmni'r Castell, fu'n gyfrifol am wneud ei gyfresi teledu ar gyfer S4C. Yn fwy na hynny, fe lwyddodd i ddwyn perswâd arna' i i roi'r gorau i fyd yr adeiladu, a chynnig llofnodi fy nghais am gerdyn *Equity* a chyn hir roedd Wilias fel asiant yn fy arwain i i weld hwn a'r llall am waith.

Cawsom lawer noson hwyliog iawn i lawr yng Nghaerdydd yn gweithio ar 'Hafod Henri' a 'Pobol y Cwm'.

Cofiais iddo wahodd ei hun i dŷ Elinor Jones un noson i goginio pryd o fwyd Sieinïaidd. 'Bydd yn rhaid i ti ddod hefo fi,' medde fe.

'I beth?' medde fi. ''Smo i'n deall dim am fwyd *Chinese*.'

'Elli di helpu,' medde fe, 'i baratoi a golchi llestri.'

A bant â ni i'r siopau bwyd *Chinese* yng Nghaerdydd, gyda Gari yn ordro beth o'dd e isie, yn gwmws fel 'se fe wedi cael ei eni yn Tsheina.

Draw i dŷ Elinor erbyn saith, cnocio wrth y drws a chyflwyno 'Wing-Wang-Wong, a Wong-Wang-Wing, Bwyd Tsheina ar Daith'.

Wel, fe gawsom ni bryd o fwyd i'w gofio y noson honno — shwt, 'wy ddim yn gwbod.

Wedi i Gari baratoi y bwyd, dangosodd i mi beth o'dd isie ei wneud, a 'nôl a 'mlân fu e drwy'r nos yn bwydo'r parti bach oedd yno gyda bwyd *Chinese* a thoreth o jôcs, a chadw pawb mewn hwyliau da.

'Paid â phoeni am y gegin, Elinor,' medde fe, 'Bydd y lle fel newydd wedi i Glan fa'ma orffen golchi'r llestri. Fo yw'r sgifi sydd gen i.'

A dyna gyfnod arall o addysg *Chinese* yn dod oddi wrth Gari, wrth iddo fy nghyflwyno i i *Spare Ribs, Lettuce Rolls, Auromatic Duck* a *Sweet & Sour Chicken*.

Cawsom lawer i noson hwyliog tra'n gweithio yn y brifddinas. Un tro, wedi i ni swpera yn *Champers* fe gafodd syniad y dylen ni ymweld â'r *Holiday Inn* am ddrinc bach cyn clwydo.

'Fe dala' i,' medde fe, wrth i ni ordro Jin a Thonics.

'Na, na,' meddwn inne, 'fe dala' i.'

Ac fe a'th yn ddadl fach rhyngom ni, nes imi adael iddo ennill a thalu am y ddau ddiod.

Funudau yn ddiweddarach, daeth Gari yn ei ôl gyda'r Jin a Thonics, a golwg sych iawn ar ei wyneb.

'Nefi bliw!' medde fe, 'Ti'n gwbod faint gostiodd y ddau làs yma?'

'Boiti chwe phunt a hanner can ceiniog,' meddwn inne.

'Sut oeddat ti'n gwbod hynny?' holodd.

'Wy' wedi prynu rhai yma o'r blaen,' meddwn i, 'ond fe wnest ti fynnu prynu.'

'Do, ond do'n i ddim yn meddwl 'mod i'n prynu'r gwesty hefyd,' medde fe.

Bu'r ddau ohonom ni am awr gyfan yn mwynhau y Jin a Thonics, cyn i Gari sylweddoli eu bod nhw yn rhai mawr!

Roedd ei barodrwydd i helpu pobl ac achosion da wastad yn rhywbeth y byddaf yn ei gofio amdano.

Gofynnwyd imi drefnu i griw o enwogion redeg tua phedair i bum milltir o amgylch Aberystwyth er mwyn casglu arian i U.M.C.A. (Undeb Myfyrwyr Cymraeg Aberystwyth). Fe lwyddais i berswadio wyth i ddeg o gewri'r genedl i ymweld ag Aber i redeg am ddeg o'r gloch y bore. Yn eu plith roedd Gari — wedi teithio i lawr o Fae Colwyn ar y bore Sul, rhedeg hyd y cwrs ac yn ôl i fewn i'r car a gyrru am adre i Fae Colwyn am ginio gyda Haf a Nia.

Rai blynyddoedd wedi i mi gwrdd ag ef ar wyliau ym Majorca, awgrymodd Gari y dylen ni fynd fel dau deulu am wyliau.

Fe drefnwyd inni gyfarfod i bwyllgora ble i fynd ac fe benderfynwyd anelu am wersyll gwyliau yn Ne Ffrainc, nid nepell o St Tropez.

'Mi wna' i'r trefniadau,' medde fe. 'Y cwbl fydd raid i ti ei wneud fydd talu a chario'r bagiau.'

Rhedwyr Aberystwyth

Yn y llun:
John Meredith, Huw Ceredig, Richard Rees, Gari, Iestyn Garlick, Glan Davies.
Blaen: Lyn Ebenezer a Jack y ci, Gillian Elisa, Sioned Mair, Dewi Pws.

Ac felly bant â ni, Haf, Nia Wyn a Gari, Aeres y wraig a minnau. Trên o Fae Colwyn i Dover, llong i Calais, a thrên i St Tropez — taith oedd yn llawn hwyl a hiwmor a thynnu coes.

Gallaf gofio i'r ddau ohonom ar y gwyliau hwnnw ffurfio tîm tennis bwrdd dwbwl a ni enillodd gystadleuaeth y gwersyll, gyda Gari yn cyfadde bod ein tacteg ni yn syml: 'Fi sy'n cael y bêl 'nôl dros y rhwyd, a Glan sy'n sgorio.'

Peth arall rwy'n ei gofio oedd iddo gysgu yn yr haul â chrys-T am ei ganol ac wedi iddo ddeffro roedd e wedi troi yn ddau liw. Ac felly y bu am ddau neu dri diwrnod: 'Mr Wilias *Two-tone*'.

Ond yr hyn fydd wastad yn dod i gof fydd y noson yr aethom i gyngerdd y gwersyll yn y neuadd fawr. Ar ôl deng munud, roedd hi'n amlwg nad oedd Gari na minnau yn mynd i fwynhau.

Doedden ni ddim yn deall yr iaith, ac nid oedd safon yr adloniant yn

Mr Wilias Two Tone

fawr o werth. Llwyddodd y ddau ohonom i aros ar ddi-hun am yr hanner cynta, yna allan â ni am sigarét yn ystod yr egwyl.

Yn ystod yr egwyl, fe syrthiodd 'na fenyw i lawr grisiau'r neuadd a throi ei migwrn.

'Tyrd,' medde Wilias, 'Gwell inni helpu,' a bant â fi fel ci bach wrth gwt Gari.

Ar ôl cael y wraig allan o'r neuadd, roedd rhaid ei chario i'r stafell gymorth cynta, oedd tua hanner milltir i ffwrdd. Roedd y fenyw yn pwyso tipyn a'r ddau ohonom yn ceisio rhoi *fireman's lift* iddi yr holl ffordd i'r stafell.

Roedd y noson yn dwym a'r dwylo yn llithrig o dan y fenyw, oherwydd y chwys. Roedd eisiau cymorth cynta ar y ddau ohonom ninnau erbyn inni gyrraedd y stafell. Wrth inni gerdded nôl i'r neuadd fe soniais wrtho fe:

'Wilias, paid cynnig helpu menyw o'r seis 'na eto wnei di, achos wy'n credu bod isie doctor arna' i ar ôl cario honna.'

'Paid â chwyno, Davies,' medde Gari. 'Allet ti fod i mewn yn fan'na yn y neuadd yn diodde'r cyngerdd 'na.'

Wnes i ddim anghytuno.

Glan Davies

Tri Pherfformiad

Pantomeim 'Madog'

Y tro cynta erioed i mi weithio hefo Gari oedd ym mhantomeim 'Madog' Cwmni Theatr Cymru. Roedd o wedi paentio ei hun yn goch o'i gorun i'w sawdl, gan ei fod o'n actio rhan Indiad Coch!

Beth bynnag, yn ystod y pantomeim, mi fyddai Gari yn cynnal cystadleuaeth i blant, ac yn fy anfon i, oedd yn chwarae rhan morwyn o'r enw Leusa, i ganol y gynulleidfa, i ddewis rhyw hanner dwsin i ddod i'r llwyfan i gystadlu.

Un tro, ynghanol matinée yn Neuadd y Dre, Pwllheli, mi siarsiodd Gari fi i ddod â phlant *hŷn* i'r llwyfan, gan fod 'na laweroedd o'r rhai 'fenga wedi cael cyfle yn gynharach yn y sioe.

Gan fy mod i'n fyr iawn fy ngolwg, ac heb fy sbectol, doeddwn i ddim wedi gweld pwy oedd newydd ddod i'r llwyfan i 'nghanlyn i. Roedd llygaid Gari fel soseri wrth i ni i gyd gyrraedd y llwyfan. Gosododd bawb yn un rhes, a'u holi fesul un cyn dechrau'r gêm:

'A be 'di d'enw di?'

'Rhodri,' meddai'r cystadleuydd hwnnw.

'Faint 'di d'oed di?' holodd Gari.

'Naw,' meddai Rhodri.

Ac felly ymlaen, at ddiwedd y rhes, a chael atebion digon cyffelyb, nes iddo ddod at y pen pellaf. Dechreuodd holi cystadleuydd go nobl:

'Helô,' meddai Gari.

'Helô, Gari,' meddai'r cystadleuydd.

'Pwy wyt *ti*, 'ta?' holodd Gari.

'Meri,' meddai'r cystadleuydd.

'A faint 'di d'oed di, Meri?' gofynnodd Gari, gan deimlo braidd yn anesmwyth, a rhyw giledrych arna' i â chwerthin lond ei lygaid:

'Tri deg saith,' meddai Meri'n llawen!

'Fasa'n well i ti wisgo dy sbectol tro nesa' ti'n dewis cystadleuwyr!' meddai Gari wrtha' i'n ogleisiol.

Wrth gwrs, roedd Neuadd y Dre, Pwllheli yn ddwndwr o chwerthin — a Meri a Gari a minnau'n morio'n eu canol nhw, yn chwerthin a mwynhau yn fwy na neb!

Rhaglenni Teledu 'Galw Gari'

Mi fûm i'n gweithio tipyn ar gyfresi teledu 'Galw Gari', yn actio mewn sgetsus, a chwarae gwahanol rannau dros y blynyddoedd.

Un diwrnod, tra'n ffilmio, dyma Gari yn dangos rhyw sgript i mi gan ddweud:

'Yli, 'sgynnon ni neb hefo ni heddiw wneith actio rhan plisman . . . Bydd rhaid i *chdi* fod yn blisman. Iawn?'

'Sut fedra' i fod yn blisman?' meddwn inna, 'A finna 'mond yn bedair troedfedd wyth modfedd a hannar . . . ?

'Dim ots,' medda Gari, 'wneith neb sylwi os gwisgi di'r iwnifform.'

Roedd o'n llygad ei le hefyd! Dyna lle'r oeddwn i, mewn sgert a chap a chrys plismones, yn cyfeirio traffig ynghanol Bae Colwyn pan stopiodd 'na gar wrth f'ymyl i, a rhyw ymwelwyr ynddo fo. Dyma'r gyrrwr yn pwyso allan o'i ffenest a gofyn i mi:

'*Excuse me, officer, which is the way to Clanroost?*'

Mi edrychais i yn hurt arno fo. Doeddwn i ddim yn medru gyrru car, a doedd gen i ddim clem sut roedd cyrraedd unman, gan fy mod i, fel arfer, yn cael lifft gan gyfeillion, neu yn eistedd mewn bws.

'*I'm sorry,*' meddwn i, '*I don't know.*'

Edrychodd y Sais arna' i'n surbwch hollol, gan rythu ar fy iwnifform, a dweud:

'*Well you bloody should!!!*'

Rifiw 'Dwylo i Fyny'

Y tro diwethaf un i mi weithio hefo Gari, mi ge's i ffeit hefo fo! Dyna lle'r oedd y ddau ohonom, tu cefn i lwyfan Theatr Bara Caws yn ystod Rifiw 'Dwylo i Fyny', yn gwthio a ffustio ein gilydd yn y tywyllwch tra oedd gweddill y cast yn brysur ym mlaen y llwyfan yn diddanu'r gynulleidfa!

Asgwrn y gynnen oedd rhyw iwnifform las. Roeddem i gyd yn y ddrama yn aelodau o 'Fyddin y Phalanx', a phawb ohonom yn gwisgo rhyw ofarôls, a elwid yn 'iwnifform'. Yn ogystal â chwarae rhannau swyddogion a milwyr y fyddin, roedd gofyn i ni hefyd chwarae pob mathau o rannau ychwanegol. Golygai hyn fod raid i ni ruthro i gefn y llwyfan bob hyn a hyn i newid ein gwisgoedd.

Dyna ddigwyddodd i Gari a minnau: roedd y ddau ohonom wedi rhuthro i newid ein dillad ar yr un pryd, ac yn y gwyll tu ôl i'r llenni, roedd y ddau ohonom wedi stryffaglu i fynd i mewn i'r *un* iwnifform! Roedd Gari wedi rhoi ei goes dde i mewn yng nghoes yr iwnifform, a minnau wedi rhoi fy nghoes inna yn y llall . . . A doedd 'run ohonom yn sylweddoli be oedd yn digwydd yn y tywyllwch dryslyd hwnnw! Wrth i'r ddau ohonom deimlo'r panig yn ein brathu, gan sylweddoli bod raid inni fod ar y llwyfan ymhen dwy eiliad, aethom i ddechrau waldio a ffustio'n gilydd yn ddidrugaredd. Fo'n gweiddi:

'Sym' o'r ffordd!' a finna'n ei binsio fo, a 'sgyrnygu rhwng fy nannedd:

'Dos allan o f'iwnifform i!!' A fynta wedyn yn deud:
'Be?! — F'un i ydi hon!!'

Dwi ddim yn cofio'n iawn be ddigwyddodd yn y diwedd — un ohonom yn gwisgo'r dilledyn bondigrybwyll, a'r llall wedi cael gafael ar ryw gostiwm anaddas oedd ar fachyn neu'i gilydd yng nghefn y set.

Ond dwi'n cofio'n iawn sut y bu i ni a gweddill y cast rowlio chwerthin am ben yr achlysur — yr holl ffordd adra!!

Mari Gwilym

Sutton Slei

Un o'r atgofion gore sy' 'da fi o Gari yw pan o'n i'n Wayne Harris yn 'Pobol y Cwm', a fe'n Edgar Sutton. (Gyda llaw, 'na un o'r *double acts* gore 'weles i ar y teledu o'dd Edgar Sutton a Meic Pierce.)

Ro'n i wedi cael trafferth i ddysgu cwpwl o linelle a geirie technegol am geir ynddyn nhw, ac fe sgwennes i nhw lawr ar fat cwrw ar far y Deri. Daeth Gari i mewn (gan wybod yn iawn beth o'n i wedi'i wneud), ordro peint a gyda gwên anferth ar ei wyneb yn rhoi'r gwydr lawr ar y mat a gweud:

'Wel Wayne, beth yn union sy'n bod ar y car?' . . .

Allen i fod wedi ei stranglo fe!

Roedd e'n dynnwr coes ofnadw, ond weles i fyth mohono fe'n gas at neb — ac ar wahân i fod yn actor *straight* da iawn roedd ei amseru fe bob amser yn berffaith pan yn gwneud comedi.

Ond y cof olaf ohono fe sy' 'da fi oedd dod bant o'r cwrs golff yng Nghaernarfon a finne wedi ennill punt ganddo fe. Dyma fe'n troi ata' i a gweud:

'Reit, *rhaid* cael rityrn matsh i fi gael f'arian 'nôl . . . '

Un diwrnod, falle 'gewn ni . . . ond 'sai'n siŵr am y bunt . . .

Dewi Pws

Cofio'i wynebau

Yr Ysgogwr

Roedd hi'n noson fawr iawn i mi, roeddwn i wedi cael galwad ffôn gan Neil Owen, trefnydd Gŵyl Aberystwyth bryd hynny, noson cyn y Cyngerdd Mawr Cymraeg yn y Neuadd Fawr yn gofyn i mi ar fyr-rybydd a allwn i ddod i lanw bwlch perfformiwr oedd wedi gorfod tynnu yn ôl, i gymryd rhan gyda Margaret Williams, Alun Williams a Gari. I Gari, dim ond noson arferol o berfformio oedd hi, a chyn i mi fynd ymlaen i wneud fy 'sbot', dyma fe'n dymuno'r gorau i mi a dweud ei fod e yn mynd i ganol y gynulleidfa i wrando arnaf. Wedi i mi orffen, dyma fe yn ei ôl yn llawn clod.

'Wel,' meddwn i wrthyf fy hun, fase fe ddim yn dweud dim negyddol wrth *chap* bach oedd wedi edrych mor ofidus â llygoden mewn trap cyn ei berfformiad. Feddyliais i ddim mwy am y peth. Ond ymhen rhai wythnosau, profodd Gari i mi nad geiriau gwag oedd ei ganmoliaeth pan gefais alwad ffôn gan Elwyn, ei frawd, yn rhoi gwahoddiad i mi fod yn westai ar ei raglen. Yn anffodus, allwn i ddim derbyn y gwahoddiad ond cofiaf y teimlad braf oedd ynof o feddwl fy mod wedi cael gwahoddiad i fod ar un o raglenni Gari Williams, a rhaid i mi gyfaddef fy mod wrth fy modd yn dweud wrth rai o'm ffrindiau fy mod wedi cael y fath wahoddiad.

Ni welais Gari wedi hynny nes i mi gael gwahoddiad arall i fod ar banel dweud jôcs ym Mhabell yr Ieuenctid yn Steddfod Llanbed, a hynny am ddeg o'r gloch y bore. (Nid yr amser gore i ddweud jôcs yw deg o'r gloch y bore!). Gari oedd yn cadeirio ac fe gafwyd awr ddiddan iawn, gyda'r rhieni wrth eu boddau ond bod ambell i awyren bapur yn cael ei thaflu atom gan y plant. A dyna'r bore a ddaeth â mi at ddechrau fy ngyrfa ar y teledu pan ddaeth cynhyrchydd y 'Noson Lawen' ataf ar y diwedd i ofyn i mi wneud y rhaglen. Ys dywed y Sais *'The rest is history'*. O edrych yn ôl mewn rhyw ffordd ryfedd, roedd Gari yn rhan annatod o ddechreuad pethe mawr i mi, ac yn ystod y blynydde oedd i ddilyn, mi fyddem yn cwrdd yn aml iawn. Braf fydde'r sgwrs am yr hen waith rhyfedd yma o'i 'neud e'n sefyll lan' fel maen nhw'n ei alw e nawr.

Y deyrnged ore a ge's i i Gari Williams oedd mewn siop yn Aberystwyth pan o'n i'n prynu trowser o bob peth. Y tu ôl i'r cownter yn fy syrfio, roedd hogyn ifanc tipyn ieuengach na fi ac wrth i mi dalu, dyma fe'n gofyn i mi a o'n i'n nabod Gari Williams.

'Wel, ydw,' meddwn i, 'pam 'ych chi'n gofyn?'

'Wel,' meddai, 'os gwelwch ef cofiwch fi ato, achos pan oeddwn yn blentyn roedd 'nhad yn cadw siop yng Nghricieth' (dwi'n meddwl mai Cricieth wedodd e) 'ac mi fyddai Gari yn galw heibio bob wythnos i ddosbarthu rhyw nwyddau gyda'i waith. Byddem ni fel plant yn edrych ymlaen at ei weld am ei fod yn dod â candi i ni bob tro.'

Ei gofio am ei weithgareddau cyhoeddus wna'r mwyafrif o bobl, ond mae yna lawer iawn o bobl, fel yr hogyn yn siop Cricieth a'r hogyn cefn llwyfan nerfus, yn ei gofio am y pethau bach syml a wnaeth, ond pethau sy'n cyffwrdd ac yn aros yn y co' am byth.

Fe fûm, fel llawer, ar fy ennill o'i nabod ac yn fy ngholled o'i golli. Beth arall sydd imi ddweud ond 'Diolch am y llawenydd a fu'.

Ifan Gruffydd

'Wnei di . . . ?'

'Wnei di arwain yng Nghlwb Criced Bethesda nos fory?' oedd cais Vivs Hogia'r Wyddfa i mi, 'Tydi Gari ddim yn dda'. Rhyw gytuno yn ddigon anfoddog wnes i ar y pryd, oherwydd gwyddwn o brofiad fod llenwi'r fath sgidia yn beth anodd iawn, os nad yn amhosibl. Roedd Gari yn un o'r ychydig arweinyddion a allai lenwi neuadd ei hun, a gorchwyl annymunol fyddai sefyll ar lwyfan a chyhoeddi absenoldeb person mor boblogaidd a chynnig eich hun yn ei le. Ond ychydig a wyddwn ar y pryd beth oedd maint anhwylder y digrifwr dihafal o Fochdre, ac mai cyflawni y 'gymwynas ola' yr oeddwn i mewn gwirionedd. Mae gweddill y stori, yn anffodus, erbyn hyn yn rhan annatod o gofnodion pruddaf hanes diddanu'r genedl.

'Ma' Gari wedi mynd,' oedd y newydd syfrdanol, a minnau yn gwybod yn iawn mai 'ymddangos' fyddai Gari ymhobman, yn llond ei groen, yn llawn bywyd ac egni ac yn llenwi pob cwr a chornel â'i bersonoliaeth byrlymus a heintus. Toedd ganddo mo'r hawl i'n gadael mor ddisymwth. Toeddan ni fel diddanwyr angen ei bresenoldeb, toeddan ni fel cenedl angen ei dalent a'i hiwmor iach? Er ei fod wedi cyflawni llawer, roedd ganddo fwy i'w gynnig. Yn anffodus, diffoddodd y fflam lachar yn frwnt o gynamserol gan adael cenedl gyfan yn syfrdan.

Deuthum i adnabod Emyr Pierce Williams, mab hynaf Musus Wilias yng nghyfnod cynhyrfus *Sêr Cymru* yn sinema'r Majestic yng Nghaernarfon 'slawer dydd bellach. Tyrrai'r werin yn eu cannoedd i wrando ar brif artistiaid y cyfnod, ac yn un o'r cyngherddau hyn yr ymddangosodd y ddeuawd Emyr ac Elwyn. Rhaid i mi gyfaddef nad oeddwn erioed wedi clywed amdanynt. 'Sut w't ti mêt,' oedd cyfarchiad cyntaf Gari wrthyf fel petai'r ddau ohonom yn hen lawia ers cantoedd. Rhoddai bwyslais diffuant, cynnes ar y gair 'mêt'. Roedd yna rhyw agosatrwydd yn ei gyfarchiad, a hawdd oedd goresgyn swildod a thensiwn y cyfarfyddiad cyntaf. Teimlai pawb yn gartrefol yn ei gwmni. Cawsai'r cyfarchiad ei ddilyn bron yn ddi-feth gyda, 'Glywaist ti honna am y boi hwnnw . . . ' ac fe gaech eich hun yn ymgolli'n llwyr ynghanol llifeiriant storïau byrion a gâi eu pledu atoch. Mynnai lwyfan oddi ar y llwyfan. Toedd hi ddim yn hawdd cael sgwrs ag Emyr — byddai'n haws o lawer ymdawelu, eistedd yn ôl a gwrando. Drwy Elwyn, mab fengaf Musus Wilias y dois i adnabod Emyr yn dda!

Syndod i mi ar y pryd oedd deall mai cynnyrch diwylliant aelwyd Gymreig, capel a chymdeithas glòs oedd y ddau. Arferwn gysylltu ardaloedd Bae Colwyn â Seisnigrwydd ar y pryd, heb sylweddoli bod yna gymdeithas naturiol Gymreig gref o'i mewn. Sylweddolais hefyd fod teulu Harry Pierce Williams yn un o gonglfeini y gymdeithas honno. Ymhyfrydai Mr a Mrs Williams yn llwyddiant y ddau fab a hyfryd bob amser oedd cael eu cyfarfod, ynghyd â Hafwen yn y cyngherddau. 'Toedd yr hen hogie 'ma ddim yn ddrwg heno,' fyddai sylw cynnil y tad, a ninnau'n gwybod o wrando ar y bonllefau o gymeradwyaeth ddeuai o grombil y neuadd fod yr 'hen hogie' wedi taro deuddeg unwaith yn rhagor.

Byddai Emyr wrth law o hyd i wrando cri ac ar gael i gynorthwyo pan godai'r angen. Câi bleser a mwynhad o roddi cymorth i eraill. Cofiaf i ni fel Hogia'r Wyddfa dderbyn gwahoddiad i noson lawen yng nghyffiniau Dyffryn Conwy. Cofiaf hefyd i Elwyn gael ei daro'n wael y prynhawn hwnnw a rhag peri siom i'r gynulleidfa penderfynodd Myrddin, Vivs a minnau fynd draw i geisio diddori. Roedd absenoldeb Elwyn wrth gwrs yn golygu na fedrem gyflwyno sgetsys, rhan annatod o'n perfformiad ar y pryd. Nid oedd gennym yr un syniad pwy fyddai yno i rannu llwyfan â ni. Ar ôl cyrraedd lleddfwyd peth ar ein pryder gan mai Emyr, nid Elwyn, oedd yno.

'Sut w't ti mêt? Lle ma' 'rhen El?' oedd sylw Emyr.

'Yn sâl yn ei wely. Be 'nawn ni d'wad?' meddwn innau yn reit betrusgar.

'Be 'di leins 'rhen El yn sgets y stiwdants 'na?' A dyna fynd ati yn ddiymdroi cyn y diddanu i'w atgoffa o'r llinellau ac i ymarfer peth ar y symudiadau. Perfformiwyd dwy sgets y noson honno, diolch i ddawn digamsyniol yr actor a'r perfformiwr hyderus o Fochdre.

Meddai Emyr ar galon fawr. Roedd caredigrwydd diorchest yn rhan amlwg o'i bersonoliaeth. Ys gwn i sawl tro da a gyflawnodd, ys gwn i faint o 'nosweithiau am ddim' y bu'n eu cynnal? Fe wn i am nifer. Cofiaf yn dda y diwrnod y daeth Carys y wraig adref o'r ysbyty ar ôl geni ein plentyn cyntaf. Pwy ymddangosodd ar yr aelwyd gyda pharsel bychan yn un llaw a thusw o flodau yn y llall ond Emyr.

'Sut w't ti mêt? Presant bach i'r babi a bloda i Carys.'

'Be amdana' i?'

'Yli washi, Carys 'nath y gwaith calad i gyd — mi ge'st ti dy blesar!' A dyna fy rhoi yn fy lle yn syth.

'Wnei di arwain yn Theatr Tywysog Cymru, Bae Colwyn?' gofynnodd Elwyn i mi, 'Noson y teulu i goffáu Gari fydd hon. Cadwa hi'n ysgafn, dim dagra, dim sentiment.'

Ufuddhau heb feddwl ddwywaith wnes i. Doedd dim sgidia i'w llenwi y tro hwn. Ond gorchwyl anodd, bobol bach.

Gari wedi mynd? Sgersli bilîf. Rwy'n gwbl argyhoeddedig hyd y dydd hwn fod tywysog y diddanwyr wrth fy ochr ar y llwyfan y noson honno yn cynnal fy meichiau.

Arwel Hogia'r Wyddfa

Teimlad arbennig

Ers i ni ddod ar draws Gari gyntaf erioed yn y chwedegau, roedd y ddau ohonom yn ei edmygu yn fawr iawn ac mae'r teimlad hwnnw wedi para hyd heddiw. Tydi dawn ar ei phen ei hun ddim yn ddigon — rhaid gweithio yn ogystal ac *mi* weithiodd Gari yn galed iawn. Nid ar un ddawn, ond ar amryw. Roedd Gari yn gyflwynydd, canwr, digrifwr ac actor ac mi lwyddodd yn y meysydd hyn i gyd.

Doedd dim wal rhwng Gari a'i bobol — roedd o'n agos atyn nhw ac roedd ei bobol yn agos ato yntau. Roedd yn hoffi perfformio o flaen pobol, yn ogystal â chael pleser o fod yn eu cwmni.

Mae rhyw deimlad arbennig yn tynnu'r artistiaid Cymraeg a gychwynnodd eu gwahanol yrfâu yn y chwedegau at ei gilydd. Pan fyddwn ni'n cwrdd, mae hi'n 'Wyt ti'n cofio hyn?' ac 'Wyt ti'n cofio'r llall?' ac wrth gwrs, y sylw anfarwol, bythol-wyrdd ydi: 'Tydi hi ddim 'run fath rŵan ag yr oedd hi ers talwm!'

Heb ei weld ers blynyddoedd, mi fuom yn ddigon lwcus i daro ar Gari rhyw flwyddyn cyn iddo farw. Mi ddaeth o a'i wraig, Hafwen, a'r plant i aros hefo ni i'r gwesty yma.

Does dim rhaid dweud i ni gael amser difyr dros ben yn ei gwmni a sylweddoli hefyd fod gan Gari ddawn arall arbennig iawn — dawn na fu ddim rhaid iddo weithio arni gan ei bod yn ddawn hollol naturiol.

Roedd o yr un Gari â'r Gari ifanc roeddem ni yn ei nabod yn y dechrau pan oeddan ni'n crwydro Cymru a chynnal nosweithiau llawen. Ar ôl yr holl lwyddiant, doedd o ddim wedi newid.

Ac efallai mai dyna pam ein bod ni'n teimlo bod yna fwy o golled ar ôl Gari y dyn, na Gari y perfformiwr.

Tony ac Aloma

Rhannu llwyfan

Fi gafodd y fraint o arwain y Gwasanaeth Diolch am Gari — cyfarfod a drefnwyd gan y Parchedig Eryl Lloyd Davies yn Seion, Llanrwst. Roedd y capel mawr hwnnw dan ei sang. Rwy'n cofio dweud yn y cyfarfod, os mai lle braf ydi'r nefoedd, lle mae pobl yn teimlo'n ysgafn fron ac yn llawen, yna fe roddodd Gari rywfaint o nefoedd yng nghalon pawb fu yn 'i gwmni.

Mewn capel y cyfarfyddais i ag Emyr gyntaf — fo a'i frawd Elwyn. Roedd J.R. Williams, y dynwaredwr a'r doniolwr a'r blaenor o Fochdre wedi gofyn i mi a gâi'r ddau frawd ifanc ganu mewn noson lawen gyda ni ym Mhontllyfni. Roedd hi'n noson deuluol bron — fy mrawd Alwyn a'r ddau fach, Alwen ac Owain, hefyd yn rhannu'r llwyfan. Honno oedd y gyntaf o nifer fawr o nosweithiau lle bûm i'n rhannu llwyfan ag Emyr. Wedi hynny, o dro i dro, buom yn cydweithio ar y cyfryngau hefyd ac mae'n dweud llawer am ei dalent na fyddwn byth yn colli cyfle i wrando arno pan fyddai'n perfformio yn y cylch hwn. Theatr y Grand, Y Pafiliwn, *Y Pedair Derwen*, Berth Lwyd — dwi'n 'u cofio nhw i gyd ynghyd â dwsinau o fannau eraill. Roeddwn yn dod allan bob tro yn dotio at ei ddawn i wneud i'r gynulleidfa deimlo'n gartrefol. Roedd o'n medru 'gwneud' efo pobol ac roedd pobol yn ymateb iddo'n ddi-ffael.

Heb os, roedd Emyr yn ddyn ei 'filltir sgwâr' — byddai'n sôn o hyd am Fae Colwyn, Mochdre, ei deulu a'r 'fusutors'. Un sylw ganddo am fusutors oedd fel y byddai rheiny yn gwibio heibio iddo ar ffordd yr A55 i gyfeiriad Sir Fôn ac y byddai yntau'n dweud: 'Ia, dos di 'ngwas i — mi gyrhaeddi di Gonwy toc.'

Mi gyrhaeddwn ni i gyd rhyw Gonwy toc. Wedi i ni lanio yno gobeithio y cawn rhywun fel Gari i gadw cwmni i ni.

Trefor Selway

Y dyn proffesiynol

'Wyt ti 'di clywad am Emyr ac Elwyn, Idris?' meddai rhywun wrtha' i wedi imi ddod oddi ar lwyfan y Majestic yng Nghaernarfon.

'Naddo,' medda fi, 'Pwy ydyn nhw?'

'Dau frawd o Fochdre, maen nhw'n dda 'sti.'

Tua diwedd y chwedegau oedd hi, pan oedd mynd mawr ar y nosweithiau llawen traddodiadol, a digonedd o ddoniau ar gael i'w cynnal. Ond roedd nosweithiau *Sêr Cymru* yn y Majestic dipyn yn wahanol, yn fwy tebyg i sioeau'r Palladium na sgubor neu neuadd bentref. Nod y trefnwyr, a finna fel cynhyrchydd, oedd rhoi cyfle i'r sêr berfformio ar lwyfan lliwgar — gyda'r sustem sain orau bosib.

Roedd y doniau adnabyddus megis Ryan a Ronnie, Tony ac Aloma ac eraill yn rhannu llwyfan gydag enwau llai cyfarwydd. Ni welwyd dim byd tebyg erioed o'r blaen — nac wedi hynny — yn y Gogledd. Roedd y sinema yn orlawn unwaith y mis, a phobl yn teithio milltiroedd i gael gwledd o fwynhad.

Adwaith y gynulleidfa oedd llinyn mesur llwyddiant y nosweithiau, a hynny oedd i benderfynu pwy fyddai'n cael dod yn ôl i ymddangos mewn sioe arall. Nid gor-ddweud ydi honni i Emyr (Gari) ac Elwyn wneud eu marc gyda'u llinell gyntaf; roedd eu presenoldeb proffesiynol yn amlwg i'r gynulleidfa, a'u personoliaethau fel magned yn mynnu sylw. Roedd Gari yn nerfus iawn y noson gyntaf y bu iddo gerdded ar y llwyfan, ond roedd yn ddigon o feistr ar ei waith i guddio'r cyfan. O'r noson honno deuthum i yn ffan mawr o'r bois, ac yn ffrind personol i'r ddau frawd fel ei gilydd.

Yn dilyn llwyddiant nosweithiau'r Majestic, daeth cyfle i deithio Cymru gyda *Sioe Sêr Cymru* a dwi ddim yn meddwl inni wneud yr un sioe heb Emyr ac Elwyn.

Pan ddaeth Gari yn wyneb adnabyddus fel digrifwr, doedd yna neb mor falch â mi, nid yn unig am fy mod yn gwerthfawrogi ei dalent, ond am ei fod yn dangos esiampl i eraill drwy weithio'n galed i roi sglein ar ei berfformiadau.

Fe ddywedodd Eric Morecambe unwaith: '*The best ad libs are the rehearsed ones*'. Oedd, roedd Gari yn gyflym ei feddwl, oedd roedd ganddo ateb parod i wahanol sefyllfaoedd, ond yn amlach na pheidio roedd y cyfan yn deillio o'i waith paratoi trylwyr.

Fe ge's i gyfle i gyd-actio gyda Gari unwaith. Rhan fechan iawn oedd gen i yn 'Pobol y Cwm', ond yn ddistaw bach mewn cornel fe sibrydodd Gari ei gyngor i 'nghlust: 'Tria fo fel hyn'. Diolch Gari.

Idris Charles

Llenwi bwlch

Nid cymharu ydw i. Dim ond nodi. Ryan wrthi mewn Clwb Nos yng Nghaerffili a charfan fawr o'r gynulleidfa y noson honno yn rieni i blant Ysgolion Cymraeg De Morgannwg a Morgannwg Ganol. Ryan yn ardderchog a'r sioe yn slic. Ond, cael siom bod cyn lleied o'r sioe yn yr iaith Gymraeg. Oedd hynny'n golygu nad oedd cabaret Cymraeg *glitzy* yn bosib? Ryan oedd yr union, a'r unig un i allu gwrthbrofi'r peth. Ond nid felly y bu hi yng Nghaerffili. Roedd o ar binacl ei yrfa ar y pryd. Roeddwn innau'n un o'i edmygwyr penna'. Ond fe ge's fy siomi nad oedd y Gymraeg fel pe'n ddigon ifanc ac ystwyth i fentro i fyd y Sêr Symudol, y llif-oleuadau a'r dici-bôs.

Noson Dwynwen ym Mangor oedd y llall. Noson oer o Ionawr. Gari oedd yn arwain a'r Parti Arall yn diddanu. Eira'n disgyn wrth i ni gyrraedd. Ac os oedd 'na drwch o eira yng nghysgod y Fenai, sut bydde hi ym Mhenllyn? Daeth neges yn ystod y noson — lluwchfeydd yn rhwystro'r Parti Arall rhag cyrraedd.

Siom eto. Wel ie, pan ddaeth y neges, ond fe erys y noson yn glir yng nghof pawb oedd yno. Aeth Gari ati i ddiddanu ar ei ben ei hun gan dynnu'n helaeth ar ei brentisiaeth ar fyrddau'r clybiau nos. Am awr a hanner fe'n cadwodd yng nghledr ei law. Ni chwerthais fwy erioed. Ton ar ôl ton o hyrddiadau o chwerthin. Pobol ddigon sidêt yn eu dyblau ac yn gwasgu eu hochrau. Y llai sidêt yn rhowlio ac yn galw am fwy a mwy . . . a mwy eto.

Rhyfeddu at y cof, at allu Gari i addasu ei hiwmor i'r union le a'r union achlysur, at ei amseru, at ei egni, at ei awydd i wneud yn siŵr na châi pluen o eira droi'n ofid — a'r cyfan yn Gymraeg. Deng mlynedd rhwng dwy noson a'r Gymraeg wedi dod i'w hoed.

R. Alun Evans

95

Tair ffilm Wil Sam

Dau Frawd, ffilm yn y gyfres deledu 'Almanac' oedd dechrau'r daith arbennig hon. Yn 1983, trwy law y newyddiadurwr Ioan Roberts, daeth stori i'n sylw am ddau frawd, dau hen lanc o Fynydd y Rhiw ym Mhen Llŷn a oedd yn byw dan yr unto, ond nad oeddent byth braidd yn siarad â'i gilydd. Roedd awgrym bod un yn dalach na'r llall, ac wrth feddwl am y byrraf o'r ddau daeth enw Gari Williams gerbron; ar awgrym pwy, dwi ddim yn siŵr. A bod yn deg roedd o braidd yn ifanc i'r rhan, ond gan ei fod yn moeli doedd ei 'heneiddio' ddim yn ymddangos mor anodd! Credaf i mi weld Gari cyn hynny ar lwyfan mewn cynhyrchiad gan Theatr Bara Caws, ond doedd o ddim yn cael ei gysylltu â rhannau 'difrifol' fel y'u gelwid ar y pryd. Ta waeth, cafwyd perfformiadau ysbrydoledig ganddo ef a Stewart Jones fel Gruffydd a Watcyn Jones. Ychydig o ymarfer a fu, ond roedd Gari wedi gwneud ei waith cartref ac wedi mabwysiadu cerddediad a llais arbennig cyn cyrraedd y set! Ac i gyw o gyfarwyddwr digon pethma ei gam roedd hynny'n gysur mawr.

Wil Sam oedd awdur y sgript arbennig honno, felly rai blynyddoedd yn ddiweddarach pan yn paratoi ffilm arall o waith yr awdur, peth digon naturiol oedd gofyn i Gari ymgymryd â rhan Taid Cled yn *Plant y Tonnau*. Dyn a godai gywilydd ar oedolion ond a oedd yn deall plant i'r dim oedd Taid Cled, ac roedd Gari yn ddelfrydol. Mae Wil Sam ar ei orau yn aml pan yn cyfuno'r digrif a'r dwys a dwi'n amau dim nad oedd anwyldeb naturiol Gari ynghyd â'i reddf glownio yn asio'n berffaith gyda chymeriadau Wil.

Y Dyn Swllt oedd y ffilm olaf a gyfunodd dalentau Wil Sam a Gari, a'r tro hwn Gari oedd i gymryd rhan y prif gymeriad. Unwaith yn rhagor roedd gallu Gari i greu cymeriad sy'n troedio'r ffin rhwng clownio a thrasiedi yn berffaith i hanes ymdrech anobeithiol y casglwr druan i annog pobol i dalu eu dyledion iddo. Ac yn goron ar y cyfan cafwyd rendring eneiniedig rhwng difrif a chwarae gan Gari, o'r gân eisteddfodol 'Lle Treigla'r Caferi'. (Afon yn India, gyda llaw, yw'r Caferi, yn ôl pob sôn.)

Wrth edrych yn ôl, be sy'n aros yn y cof am Gari? Wel, fel actor roedd o bob amser yn ddirwgnach ac wedi paratoi yn drylwyr. Braidd yn or-hoff o adrodd jôcs ar dro ond yn gwmni diddan, ac yn bennaf, yn

'Y Dyn Swllt' yn ffilm Wil Sam

Wil Sam a Gari Williams ar achlysur ffilmio Plant y Tonnau
pan chwaraeai Gari ran Taid Clec.

gymeriad hynaws a charedig. Fel Wil Sam ei hun, roedd ganddo ddiléit
mewn pobol, eu pethau a'u straeon.

Dim ond ar un achlysur arall y buom yn cydweithio. Daeth draw i
wneud ymddangosiad ar y gyfres 'C'mon Midffîld' pan welwyd Mrs
Picton am y tro cyntaf a'r tro olaf. Ni ddychmygodd neb mai dyna'r tro
olaf y byddem yn ei weld yntau. Gwnaeth ei bwt yn ddi-lol fel arfer.
Cyn ymadael buom yn sgwrsio am agweddau gwrth-Gymreig rhai
pobol yn Llandudno a bu'n lleisio'i ofnau am natur addysg yn ysgolion
y fro. Oedd, roedd Gari yn un o'r gwylwyr ar y tŵr yn ddigon reit.
Soniodd yn fyr fod ganddo gur yn ei ben ers dyddiau a throdd am adre.

Alun Ffred

Gari, Edgar, Meic a Fi . . .

Y llygaid direidus 'na gofia' i am Gari. Roeddach chi'n medru 'i weld o'n chwerthin efo rheiny ymhell cyn i'r wên lydan gyrraedd gweddill ei wyneb. Mi ddaeth llawer i olygfa rhwng Edgar a Meic ym 'Mhobol y Cwm' i ben yn ddisymwth ac, yn allanol o leiaf, yn anesboniadwy o'r herwydd. Petruso ar air, y mymryn lleiaf o ddiffyg yn y symud neu anffawd fechan gyda thywallt te, ac mi fyddai'r llygaid 'na oedd yn rhythu'n ddisymud arnoch chi eiliad ynghynt yn sydyn yn disgleirio o ddireidi a difyrrwch. Dim byd maleisus, ddim byth — ond cystal â dweud, ar ganol yr olygfa, 'welish i hynna, mêt!' Yn amlach na pheidio byddai hynny'n ddigon i ddod â'r ddrama arbennig honno i ben dros dro.

Roedd o'n ffraewr rhagorol hefyd — ar y bocs dwi'n 'feddwl. Ar achlysuron lle'r oedd gofyn am hynny (ac roedd llawer iawn o ffraeo rhwng Edgar a Meic) roedd y llygaid yn medru fflachio'n wyllt a bygythiol. Ond yr eiliad y deuai'r olygfa i ben, dychwelai'r direidi i'r llygaid yn syth bin, a'r wên lydan yn dilyn yn ddi-feth. Yn sicr, nid *method actor* oedd Gari!

Ac efallai mai dyna gyfrinach y bartneriaeth hynod hapus a'r gyd-ddealltwriaeth ryfeddol fu rhyngom gydol yr amser y bu ym 'Mhobol y Cwm' — actor wrth natur oedd o, fel finna, heb dderbyn hyfforddiant ffurfiol o fath yn y byd. Nid dilorni hyfforddiant ydi dweud hynny — byddem ein dau, efallai, wedi bod yn well actorion o fod wedi'i dderbyn — ond mae'r reddf berfformio yn uno pobol mewn rhyw ffordd ryfedd iawn ac ni all yr un cwrs hyfforddi roi hynny i chi.

'Ran hynny, o gofio perfformiad Gari a Stewart Jones yn *Y Ddau Frawd* rai blynyddoedd yn ôl, allai'r un coleg fod wedi gwella dawn yr un o'r ddau. Roedd y portread hwnnw, i mi beth bynnag, yn arwydd o'r hyn oedd i ddod, ac er cystal a chymaint ei gyfraniad i gomedi, mi greda' i inni weld egin fyddai wedi tyfu'n gyfraniad sylweddol a phwysig i fyd y ddrama yng Nghymru hefyd. Mae'n drueni o'r mwyaf na chafodd fyw i wireddu'r addewid yna.

Fel ffrind, roedd y caredicaf a'r mwya' cymwynasgar y dois i ar ei draws. Pobol brin ydi pobol fel Gari, ac mae'r golled ar eu hôl, felly, gymaint â hynny'n fwy.

Gareth Lewis

Cofio'r cymeriadau

100

Gari ddefosiynol

Yn fuan wedi imi symud o Langollen i ofalu am Eglwysi Presbyteraidd Engedi, Hermon, a Nasareth ym Mae Colwyn, daeth Mr a Mrs H. Pierce Williams a'r plant, Emyr, Elinor ac Elwyn, i fyw i Fronllys, Mochdre, ac ymaelodi yn Nasareth. Yr oedd Tegfan, y tŷ gweinidog, o fewn ergyd carreg i Fronllys, ac felly fe gawsom gryn dipyn o gwmni'r teulu dedwydd hwn.

Bob bore'r Groglith, cynhelid gwasanaeth arbennig, pryd y gweinyddid y Cymun Sanctaidd. Cyfarfyddai aelodau'r dair eglwys yn Hermon, ac ymunai nifer dda o gyfeillion y dre a'r ardal gyda ni.

O dro i dro, arferwn ofyn i fab neu ferch ganu emyn neu unrhyw ddarn cysegredig addas yn ystod y gwasanaeth. Yr oedd Emyr bob amser yn barod i'n cynorthwyo yn y capel, a phan wahoddais ef i roi datganiad bore'r Groglith, cytunodd ar unwaith. Awgrymais iddo ganu emyn John Elias o Fôn ar y dôn hyfryd, 'Pen Parc', o waith J.T. Rees.

Chwaraeodd yr organydd y dôn yn dawel ac ystyriol. Esgynnodd Emyr i'r pwlpud, ac yn y dwfn ddistawrwydd, dechreuodd ganu yn ddwys a defosiynol:

'Ai am fy meiau i
Dioddefodd Iesu mawr . . . '

Pan ddaeth at y pennill olaf, cododd ei lais yn orfoleddus:

'Gorchfygodd uffern ddu,
Gwnaeth ben y sarff yn friw,
O'r carchar caeth y dygir llu,
Trwy ras, i deulu Duw.'

Do, fe lwyddodd i gadw awyrgylch addolgar y gwasanaeth.

Gŵyr pawb mor ddoniol y gallai Emyr fod yn actio ar lwyfan. Nid pawb, o bosibl, a ŵyr mor hapus a naturiol y gallai fod yn addoli mewn capel.

Buasai Cymru yn wlad hapusach pe byddai pobl dduwiol weithiau yn ymlacio a bod yn ddoniol, a phobl ddoniol yn ymbwyllo a bod yn dduwiol.

Yr un oedd Emyr a Gari.

Y Parch. Aled Williams

Geiriau ar y Gororau

Y tro cyntaf i enw Gari Williams gael ei grybwyll wrthyf i oedd mewn cyfarfod ym Mae Colwyn — cyfarfod i ystyried sefydlu gwasanaeth radio annibynnol ar gyfer glannau Gogledd Cymru. Er fy mod wedi fy ngeni'n Gymro, nid oeddwn yn symud o fewn diwylliant y byd yr oedd Gari yn gymaint o feistr arno; soniwyd amdano fel cynhyrchydd teledu ac fel dyn oedd â diddordeb mawr mewn hybu diwylliant Cymraeg.

Mae'r cyfarfod cyntaf hwnnw yn dal i lynu yn fy nghof. Hwyliodd Gari i mewn i'm swyddfa yn Wrecsam, ac ymuno â'r cyfarfod yn union fel pe bai yn ein hadnabod ni i gyd ers blynyddoedd. Roeddwn i'n ei hoffi o'r funud gyntaf y cyfarfyddais ag ef — roedd ganddo'r gallu — rhodd Duw — i ddod â heulwen i bawb yn ei gwmni. Roedd ei hiwmor a'i afiaith yn gofyn am feddwl chwim, a bu ei synnwyr amseru o fantais fawr iddo mewn dadl fasnachol yn ogystal ag ar lwyfan.

Yn ystod yr wythnos gyntaf honno bûm yn chwilota yn y llyfrgell gerdd yn Sain y Gororau, a hynny er mwyn gwrando ar Gari. Prin y gallwn gredu'r peth — roeddwn i wedi eistedd mewn cyfarfod gydag un o'r diddanwyr mwyaf disglair i mi erioed ei glywed. Daeth dysgu Cymraeg yn flaenoriaeth i mi — pe na bai ond i werthfawrogi safon y perfformiwr hwn. Dywedir bod dynion mawr yn medru fforddio bod yn hollol ddiymhongar ond roedd Gari yn ostyngedig hefyd — nid oedd angen iddo wthio ei hun o gwbl.

Buom yn cydweithio'n glòs dros y deuddeg mis nesaf gan dreulio oriau ar y ffôn ac fe ddeuthum i adnabod Gari'r perfformiwr, Gari'r gŵr busnes a Gari'r ffrind; oedd, mi roedd o'n ddyn arbennig.

Fedra' i ei weld o rŵan yn hwylio i mewn trwy'r drws 'na. Pan fo pethau'n wyllt yn y swyddfa a'r amynedd yn brin, i mewn â fo. 'S'mai! Gari 'dwi — braf dy weld di, mêt . . . ' a daw'r heulwen yn ei hôl. Gadawodd Gari argraff ddofn arna' i a phan ofynnir i mi am un o uchafbwyntiau fy mywyd, rhaid i mi ddweud mai fy nghysylltiad i â Gari yw un o'r rheiny, un oedd yn rhy fyr o'r hanner.

Bron i bedair blynedd ar ôl ein cyfarfyddiad cyntaf, aethom ar yr awyr gyda Radio'r Glannau. Gari fyddai'r cyflwynydd brecwast — dyna oedd y cynllun, ond gwaetha'r modd, doedd hynny ddim i fod. Bum mlynedd yn ddiweddarach, rydw i'n dal i chwilota yn y llyfrgell. Rydw i yn fy nyblau gyda hiwmor Gari. Diolch byth, ar ôl llafurio i ddysgu Cymraeg, mi fedra' i rŵan ddeall pob gair o 'Galw Gari' a 'Galw Gari Eto'.

Godfrey Wyn Williams
Rheolwr-Gyfarwyddwr Sain y Gororau a Radio'r Glannau

Colli Gari Williams

ΑWYCHWYD Cymru gyfan nos Fercher diwethaf pan gyhoeddwyd marwolaeth ddi-syfyd y
... nwr a'r actor, Gari Williams.
...4 oed, bu farw yn Ysbyty Walton, Lerpwl, wedi gwaeledd byr. Gedy weddw, Hafwen, a dau
... Nia a Guto. Gedy hefyd ei fam, ei chwaer Elinor, a'l frawd Elwyn.
...ein gohebydd, Annes Glynn, yn cydweithio gyda Gari am gyfnod o ddeunaw mis yn el
... fel ymchwilydd ar y cyfresi *Rargian Fawr*ac ar y ddalen hon mae'n oirhain cefndir Gari
...ystal a rhannu rhai atgofion personol amdano.

SAER COMEDI

..DAI cerdded i
.. y stryd ym Mae
.. n ar awr ginio
..ari fel cerdded o
.. pas maes y
.. fod efo'r bardd
..riol.

..hanol rai yn ei
..h wrth i ni fynd ar
..ordd, ambell un yn
..o am sgwrs fer.
..u'n barod ei wên a'i
..bachog. A'r cwbl yn
..iant, ddirodres.
..fio powlio chwerthin
..ll ddiwrnod yn ei
..ni wrth drafod
..nau ar gyfer y gyfres.
..arall minnau'n poeni
..oedd ambell eitem yn
..lygu fel y dylai. Cef-

nogaeth sicr ganddo: "Mi
fyddi di'n iawn 'rhen
goes".

Cofio'i lawenydd byrly-
mus drannoeth geni Guto,
y llun cyntaf o'r bychan
yn cael ei chwipio allan o'i
boced cyn i mi groesi
trothwy'r swyddfa bron.

Cofio'i falchder ar faes
.h wrth i ni fynd ar
parti adrodd Nia wedi dod
yn gyntaf ar y llwyfan y
prynhawn hwnnw.

Cofio'i garedigrwydd at
y plant acw.

Mae'r atgofion yn llu
am y llond stafell o berso-
noliaeth a oedd Gari
Williams a bydd hiraeth
am y wen ddrygionus, y

chwerthin heintus a'r
ddawn dweud ddifyr.

Ond, fel i filoedd eraill
led led Cymru, bydd Gari
bellach yn aros am byth
yn fy nghof "mor ieuanc
ag erioed, mor llawn
direidi."

Ym mhentref Llansan-
nan y treuliodd Gari, neu
Emyr Pierce Williams fel
y'i bedyddiwyd, ei
flynyddoedd cynnar. Yr
hynaf o dri o blant roedd
ei dad yn saer yn yr ardal.
Yn un a oedd yn hoff o
ddiddanu eraill hyd yn
oed yn y cyfnod cynnar
hwnnw fe'i bedyddiwyd
yn "Taid" gan nifer o'r
plant lleol — hynny am y

byddai'n cael blas ar
sefyll ar ben cadair yn
adrodd gwahanol straeon
iddynt.

Gadael Llansannan am
Lanrwst — ardal a oedd
yn arbennig o agos at ei
galon. Cael fawr o flas ar
fywyd ysgol — yr ochr
academaidd beth bynnag!
— a gadael yn ifanc i fynd
yn brentis saer at ei dad i
ddechrau.

Yn ol y stôr straeon a
oedd ganddo o'r cyfnod
hwnnw mae'n amlwg iddo
fod yn amser hwyliog dros
ben er na lwyddwyd i
greu saer ohono!

Treulio cyfnod wedyn
yn gweithio fel gwerthwr

teithiol i fwy nag un
cwmni a thestun synod i
mi bob amser oedd syl-
weddoli cymaint o'r bobl a
gyfarfu Gari ar ei
deithiau fel gwerthwr a
oedd yn dal i'w cofio.

Yn ystod y chwedegau y
dechreuodd ganu gyda
bandiau lleol yn ardal
Llandudno ac yn ddiwedd-
arach ffurfiodd ddeuawd
lwyddiannus gyda'i frawd
Elwyn.

Bu'r ddau yn ymddan-
gos yn gyson ar raglenni
adloniant ysgafn Cym-
raeg yn ogystal a pherf-
formio mewn gwestai
lleol, y theatr ym Mae
Colwyn ac amrywiol
glybiau.

Ymhen amser gada-
wodd Elwyn y ddeuawd i
agor busnes gwerthu
... th Gari

Yn y sgwrs hir olaf a
gefais gydag ef, ar gyfer
cyfweliad i'r *Cymro* yn
gynharach eleni, dywed-
odd y gallai ymgolli gyda
chynulleidfa mewn theatr
neu neuadd, rhywbeth na
allodd wneud yn llwyr
mewn stiwdio deledu
meddai.

Er hynny profodd
lwyddiant di-amheuol a
y sgrin fach hefyd, nid yn
unig gyda'i sioea
adloniant ysgafn on
hefyd fel actor. Bu'n un
gast *Pobol y Cwm* a
beth amser a bydd ei ber
formiadau mewn drama
megis *Dau Frawd* ac
Dyn Swllt yn aros yn b
yn y cof.

Roedd yr un môr g
trefol a'r actor ag y
ddatblygodd ei ragl
prynu a gwerthu ar Ra
... yn sefyd

Un o'r addfwyn rai

..N a ddaeth yn ffrind
..os i Gari a'r teulu yn
..stod y blynyddoedd
..wethaf yw'r actor
..ohn Ogwen.

.."Mi colla'i o'n
..fnadwy," meddai.
..Ooeddwn i ddim wedi
..wneud sylweddoli cym-
..int o ffrindia oeddan ni
.. ..air

..Fuo ...
..roes rhyng ...
..bed mewn ...
..'ormiad."

..Bu'r d
..weithio'n
..radio m
..Jogars a
..Cwmni
..edd.

.."Mew lenni radio, teledu a'i holl waith
..ydi hy llwyfan dros y blynyddoedd wedi ei
..redin, osod ymhlith sêr disglair y byd
..driw. adloniant.

.. Caem yr argraff bod Gari wrth ei
..fo nad fodd ar lwyfan, wrth ei fodd yn
..berf gwneud i bobl chwerthin ac wrth ei
..Roed fodd yn gwneud ran dros yr iaith
..goel a'r gymuned. Clywsom lawer am ei
..plar garedigrwydd — rhoi perfformiadau
..yn am ddim er mwyn rhyw achos da
..tre neu'i gilydd — ac am ei deyrngarwch
..ga i'w deulu a'i gyfeillion. Yr oedd
..ga ganddo hiwmor arbennig iawn, jôcs
..cartrefol, straeon oedd yn gwneud i'w
..gynulleidfa rowlio chwerthin. Yr
..oedd ei ddewis o straeon yn rhan o'i
..ddawn oherwydd profent ei fod yn
..nabod ei bobol. Nid oedd ynddo
..ddim malais, dim dicter: dim ond
..straeon a sylwadau doniol oedd yn
..hi lot i ... ... dd ... ... hamseru'n

Bydd yr wythnos wrando hon yn
cael ei chofio oherwydd y
cwmwl du a ddaeth dros fyd
adloniant Cymru pan fu farw'r
dawnus Gari Williams. Llwyddodd i
wneud lle cynnes iddo'i hun yng
nghalonnau'r genedl.

"Yr oedd ei rag-
oriaeth a'i holl waith ..."

● Meddai Alun Ffred o
Ffilmiau'r Nantamdano
fel actor:

"Mi fuo Gari yn gysyllt-
iedig a thair drama a
ffilmiwyd gennym sef
Dau Frawd, Plant y Ton-

Mae cyfeillgar..
Elwyn Jones, uwch-gyn-
hyrchydd gyda Radio
Cymru ym Mangor, a
Gari yn mynd yn ôl 12
mlynedd.

● Bu l
Landrillo
ffrind i'r
blynydd

COLLI GARI WILLIAMS

Nos Fercher, Gorffennaf 18, fe
aeth llond bws o Gaergybi wedi
eu drefnu gan Mrs Brenda
Hughes i Stiwdio Barcud,
Caernarfon i ymuno fel

Ar ôl rhyw eiliad neu ddwy da
yr ateb gogleisiol iawn — "Y f
meddai un ohonynt, "hanner a
yn hŷn na'm chwaer." Ac fel bw
o wn, dyma ymateb sydyn G

Radi(o)lwg

COLLI GŴR ARBENNIG IAWN

MARI LLEWELYN

yn foreol am 8:30. Dyna pryd y mae
llawer ohonom yn diffodd y radio neu
yn troi at donfedd arall. Yn lle cael
rhywbeth swmpus, difyr, megis *Llun-
gawn*? Canu ysgafn. Pop. Siarad di-
bwrpas. Rhaglen bapur wal. Mae'n
beth peryglus dros ben — gall golli
gwrandawyr am y dydd.

Peth arall sydd braidd yn beryglus
yw *Y Silff Lyfrau*. 'Does dim o'i le ar
Elin Mair sy'n cadeirio nac ar
fwyafrif y cyfranwyr. Holi wnâf
ynglŷn â'r dewis o lyfrau. Hoffwn
eglurhad ar y polisi o ddewis un llyfr
Cymraeg a DAU lyfr Saesneg bob
wythnos. Yr wyf i, fel ambell un arall
adwaenaf, yn *prynu* llyfrau Cymraeg
teledu, radio ac ar y llwyfan.
Roedd yn gartrefol gyda phlant ac
oedolion. Ychydig fisoedd yn ôl

hwylio
chwerth
ddiadol
garedi
arllwy
Sôn ar
ant wrt
r noson
i. Rwy'
diw. M
wrth e
o feddw
dd yng
n Jones,
a minnau
i dyma'r
rs gyda
rhyd yr
atgofion
rofiwn o
dyddiau
dynt yn
aladr yn
dynt yn
i glawdd
deuawd
un peth
cenedl,
cyfoes a
drwy'r cyfryngau
Chwmni'r Castell

Cymru'n cofio

Ym mis Gorffennaf 1990, roedd y sibrydion yn cryfhau fod Gari wedi'i daro'n wael. Clywyd bwletin newyddion yn adrodd ei fod yn ddifrifol wael yn ysbyty Walton, Lerpwl. Daliodd y genedl ei hanadl a daeth y newydd trist am golli Gari Williams, neu, ac anghofio'r enw llwyfan, Emyr Williams o Lansannan a Llanrwst. Collwyd actor, canwr a deudwr jôcs dawnus, ond y golled fwyaf oedd colli ei bersonoliaeth gynnes oedd yr un mor amlwg oddi ar y llwyfan ag arno.

Roedd wedi codi pontydd a chyflawni campau. Byddai academyddion a phwysigion y sefydliad Cymraeg yn mwynhau ei gyflwyniadau mewn steddfod neu sioe. Roedd hefyd yn bleser gweld pobol a fyddai fel arfer yn cael eu hadloniant yn Saesneg yn gwirioni ar ei berfformiadau.

Roedd yn agos iawn at deimlad pobol, at guriad calon Cymry Cymraeg diwedd yr ugeinfed ganrif, rhywle rhwng y capel a'r clwb, rhwng cymeriadau cefn gwlad a slicrwydd byd modern y teledu.

Roedd gan bawb ei stori i'w dweud amdano, pawb ei atgof a'i werthfawrogiad. Llifodd y teyrngedau:

Meddai Lyn Jones, pennaeth Radio Cymru ar y pryd:

Os oedd hi'n gorfforol bosibl, ni fyddai Gari byth yn gwrthod perfformio at achos da ac mae cannoedd o gymdeithasau drwy Gymru yn ddyledus dros ben iddo. Ychydig a wyddent am bris ei ymroddiad trostynt; ychydig a wyddent y byddai weithiau, ar ôl diwrnod llawn o recordio a ffilmio yng Nghaerdydd, yn gyrru dau can milltir i gyflawni'i addewid er mwyn codi arian at gronfa ryw ysgol neu'i gilydd.

Roedd yn berffeithydd ym mhob agwedd o'i waith, yn ymarfer yn ymroddedig a gallai ddelio â heclo mewn cabaret mewn ffordd feistrolgar dros ben. Roedd ganddo allu anhygoel i gofio enwau ac wynebau. Byddai unrhyw un a gydgerddai gydag o ar faes y Brifwyl yn cael achos i ryfeddu wrth weld ei gof ar waith. Roedd hi'n elfen naturiol ganddo oedd yn rhan o'i ddawn fel diddanydd.

Ann Llwyd, golygydd *Pais*

Roedd *Pais* Medi eisoes ar ei ffordd i'r wasg pan ddaeth y newydd trist am farwolaeth Gari Williams. Er ei bod yn fis Hydref erbyn hyn ni hoffwn i'r *Pais* hwn fynd o'm dwylo heb roi gair o deyrnged iddo. Waeth pa mor brysur ydoedd Gari roedd o bob amser yn fodlon rhoi o'i amser i *Pais*, a finnau weithiau yn gofyn iddo sgrifennu rhywbeth neu'i gilydd ar fyr rybudd. Byddai bob amser yn bleser siarad ag o dros y ffôn, yr un cynhesrwydd fyddai yn ei lais bob tro, a'r un fyddai'r cyfarchiad caredig. Cefais y fraint o gydweithio am gyfnod hefo fo a'i frawd, Elwyn, a chael bod gan y ddau ohonynt gonsyrn am y bobl o'u cwmpas, yn gydweithwyr ac yn deulu, a waeth pa mor fychan a dibwys y gymwynas a wnaed iddynt, yr un oedd y diolch bob tro. Dydi'r byd mawr ddim yn ymwybodol o'r golled i deulu a chymdeithas wedi i Gari ein gadael ond i ni a gafodd y fraint o fod yn ei gwmni, mae'r byd 'ma yn dipyn tlotach lle hebddo. Estynnwn ein cydymdeimlad dwys â'r teulu oll yn eu trallod.

COFIO GARI

"Fo werthodd y carafan i ni."

"Ew mi fuo fo'n ffeind hefo'r hogyn acw pan aeth o ar 'Penawde'."

"A hefo ninna pan aethom ni i Gaernarfon i recordio 'Rargian Fawr!'"

"Mae gin i lythyr yn fama yn deud y basa fo'n gwneud unrhyw beth i helpu'r 'Gadlas'."

"Ylwch fel ag yr oedd o'n helpu Capel Horeb."

"Yn Ninbech gwelais i o ddwytha', yn arwain Noson Lawen."

"Honno pan ddeudodd o, "Dew, mae Elwyn Pandy yn fancw?"

"Mi 'roedd o'n ffeind hefo'i deulu hefyd. Mi welith Nans 'i golli fo. Ac mi 'roedd o'n ffeind hefo Arthur Vaughan..."

"Oedd, mi roedd mab hyna' Mrs. Williams yn un o'r goreuon."

"Ydach chi'n 'i gofio fo'n fychan? Ems a'r gwallt gwyn."

"Ninna'n 'i alw fo'n taid."

"Argol ydach chi'n cofio'r hwyl fyddem ni'n 'i gael yn ben stryd?"

"Ems yn arwain Noson Lawen ar ben pafin."

"A ninna'n chwerthin."

"A chwerthin..."

Ac fe fu colli Gari neu Emyr Pierce Williams yn andros o slap. Yn slap i'w wraig Hafwen a'r plant, Nia a Guto, i'w fam, Mrs. Nansi Williams, ei frawd Elwyn, a'i chwaer, Eleanor. Bu'n slap i bawb ym mro'r Gadlas, yn wir, i Gymru Gyfan. Heb os...

Meddai'r Cymro...

Diolch Gari

NI FU HI erioed yn beth hawdd sefyll o flaen criw o bobl a dweud wrthyn nhw; *Yr ydw i'n mynd i'ch difyrru chi a'ch gwneud chi chwerthin yn awr."*

Yr oedd yn rhan o broffesiynoldeb Gari Williams ei fod o'n gallu gwneud i'r gwaith anodd o'n cael ni i chwerthin efo fo yn beth mor ofnadwy o hawdd.

Gyda'i ddawn dihafal daeth a gwên i wyneb ac ysgafnhaodd galon degau o filoedd o bobl gan brofi bod ei alwedigaeth yn un o'r rhai mwyaf anrhydeddus; achos nid bach o gymwynas yw defnyddio eich dawn i ddod a llawenydd i fywydau pobl.

Yr oedd Gari yn rhan o draddodiad cyfoethog ac heb amheuaeth yn hoelen wyth y traddodiad hwnnw yng Nghymru.

Y mae ein dyled yn fawr iddo.

Y mae yn achlysur arbennig o drist pan yw un sydd wedi ymgysegru ei fywyd i wneud i eraill chwerthin yn cael ei alw oddi arnom mor gynnar yn ei ddyddiau.

Yr wythnos ddiwethaf yr oedd cenedl gyfan yn awyddus i ysgwyddo baich y teulu bach y mae eu colled hwy yn anrhaethol fwy na'n un ni — ac y mae yna berygl inni anghofio weithiau fod y bobl gyhoeddus hyn yn bobl breifat hefyd.

Ni allwn ond gobeithio y bydd y ffaith fod cenedl gyfan am gyd-dristau a chyd-ymdeimlo a hwy yn gymorth i gynnal y telu bach ar adeg mor enbyd.

Ac y mae'n weddus dweud yn awr, Diolch Gari.

MAB HYNA' CYMRU GYFAN
Cofio Gari Williams

Yr wythnos ddiwetha' fe fu farw un o'r diddanwyr mawr. Dim ond 44 oed oedd Gari Williams neu, ac anghofio'r enw llwyfan, Emyr Williams o Lansannan a Llanrwst. Roedd yn actor, yn ganwr ac yn ddeudwr jôcs ond yr hyn oedd yn ei wneud yn fwy na hynny oedd ei bersonoliaeth - y cynhesrwydd oedd yr un mor amlwg oddi ar y llwyfan ag arno.

Roedd hi'n od mewn Eisteddfod neu sioe i weld academyddion a phwysigion y sefydliad Cymraeg yn mwynhau gwrando ar "stand-up comic". Roedd hi'n bleser i weld pobol a fyddai fel arfer yn cael eu hadloniant yn Saesneg yn gwirioni ar ei berfformiadau.

Dim ond diddanwyr fel Gari Williams neu Charles Williams a allai gyflawni camp felly. Fel yr actor o Fôn, roedd Gari Williams yn agos iawn at deimlad pobol, a Chymry Cymraeg diwedd yr ugeinfed ganrif oedd y rheiny. Rhywle rhwng y capel a'r clwb, rhwng byd amaethyddol a slicrwydd modern teledu.

Fel perfformiwr y bydd yn cael ei gofio gan y miloedd a dau berfformiwr arall sy'n cofio amdano yma - John Ogwen, yr actor, gyda'i ysgrif radio gofiadwy a gafodd ei darlledu ar **Heddiw**, a Hywel Gwynfryn, a fu'n siarad gyda Gari Williams yn ystod ei berfformiad radio ola'.

Wilias
Teyrnged Mr Ogwen

Teithio i Bwllheli yr oeddan ni, Gari a minnau, i recordio 'Chwedlau Jogars'. Fel yr oeddan ni yn dŵad i mewn i'r dre, dyma fo'n deud 'Stopia ar sgwâr, dwi isio prynu crisps'. Mi wnes, a daeth yntau yn ôl i'r car wedi prynu hanner dwsin o fagiau. Pan ofynnais be oedd pwrpas yr holl grisps, yr unig ateb ge's i oedd, 'Gei di weld heno'. Ac mi ge's.

Fe wyddai Wilias o brofiad fod hanner dwsin o ferched yn eistedd efo'i gilydd pob tro y byddai'n recordio rhaglen radio yng Nghlwb Rygbi Pwllheli. Cofiai hefyd eu bod yn hoff o gnoi crisps yn ystod y rhaglen. Ychydig funudau cyn i'r tâp ddechrau troi fe gafwyd seremoni cyflwyno'r crisps.

Gwyddai, cofiai, enw pob un ohonyn nhw ers y tro cynt, a mawr y gwerthfawrogwyd ei gof, a'i grisps.

A dyna i mi sylfaen ei fawredd fel person ac fel diddanwr — ei gariad at bobol. Siaradodd â miloedd, ar radio ac o lwyfan, a chofiai bob un. Dyna oedd wrth wraidd llwyddiant ei raglen radio wythnosol. Doedd y rhan fwyaf o bobol ddim yn siarad efo dyn ar y radio, siarad efo Gari yr oeddan nhw. Siarad efo ffrind heb feddwl o gwbl fod cynulleidfa i'r sgwrs.

Mewn pantomeimiau a sioeau di-ri daeth lluoedd o blant ato, a siarad. Mae plant yn ymateb i glust sy'n gwrando, i glust sy'n deall. Clust cariad.

Pen llanw ei adnabyddiaeth o bobol oedd ei weld ar lwyfan o'u blaen. Fe wyddai yn union pa stori i'w dweud a phryd i'w dweud hi. Pa gasgliad o storïau ac atgofion oedd fwya addas i'r gynulleidfa arbennig honno ar y noson arbennig honno. Teimlad o gynhesrwydd ac agosatrwydd a gaech wrth eistedd yn y gynulleidfa — pobol yn troi at 'i gilydd ar ddiwedd stori — yn cyd-chwerthin a chyd-fwynhau.

Hiwmor deall pobol — hiwmor cydymdeimlad oedd hiwmor Wilias. Hiwmor na ddaru erioed frifo dim, dim ond eich 'senna.

Mi ge's i'r fraint o'i gwmni, o'i gyfeillgarwch, a'i gynhesrwydd. Braint ac atgofion i'w trysori.

Y ddau ohonon ni, ar y *tee* cynta, yng nghlwb golff Bae Colwyn. Mi drawis i 'mhêl i'r eithin ar y dde a deud, 'Dyna chdi, Wilias, gwna'n well na honna'. Ac mi wnaeth. Ei tharo i'r drain ar y chwith. Troi wedyn efo'r wên a'r chwerthiniad parod a deud, 'Sa'm gwell i ni sticio at be fedrwn ni neud, d'wad?'.

A ŵyr gyflymdra'r oriau — a ŵyr werth
    Parhad y munudau,
Fe ŵyr hwn hefyd fawrhau
Y goludog eiliadau.

Yn eu colled, os oes cysur i'w gael o gwbl, mi fedr Hafwen, Nia a Guto bach dderbyn cysur o gydymdeimlad cenedl. Cenedl sy'n cofio, fel yr oedd o'n cofio.

Y Dyn ei Hun
Teyrnged Mr Gwynfryn

'Pwy 'di pwy?' Dyna ydi enw'r gystadleuaeth ar y rhaglen. Cliw bob dydd — pum cliw i gyd a'r ateb yn berson adnabyddus.

'Cariad, cariad, cariad, paid a'm gadael' oedd y cliw cynta ar y dydd Llun ac, erbyn dydd Mawrth efo pedwar cliw ar ôl, roedd yr atebion cywir yn llifo i mewn.

'Ar ar y lein rŵan, mae'r dyn ei hun — Gari Williams. Sut wyt ti Gari?'

'Yn dda iawn, Mr Gwynfryn. Clywad bo' chdi 'di cael torri dy wallt yn fyr.'

'Do.'

'Pwy ydi dy farbar di?'

'Pam?'

'I mi gael rhoi stîd iawn iddo fo.'

Dyna'r tro diwetha i neb glywed ei lais ar y radio ac, er ei fod o mewn poen y pnawn hwnnw, fasa neb, ond Hafwen, yn gwybod. Roedd Gari wedi cytuno i gael sgwrs, a toedd mab hynaf Mrs Wilias byth yn torri ei air.

Pa Gari ydach chi'n ei gofio heddiw — y comedïwr, y canwr, yr actor, y dynwaredwr, y cyflwynydd, yr ocsiwniar?

Ddaru o werthu rhyw wely neu gadair neu feic ar eich rhan chi ar y radio efallai?

Gawsoch chi ddiwrnod i'r brenin a thusw o flodau ganddo fo, a theimlo tra oedd o'n siarad efo chi ar y ffôn mai eich mab hynaf *chi* oedd o?

Dyna oedd ei gyfrinach — roedd o'n nabod ei bobol ac yn parchu ei gynulleidfa. Drwy gyfrwng radio a theledu, nosweithiau llawen a chyngherddau dirifedi, fe gyffyrddodd â bywydau miloedd o bobol.

Ond, mae Gari wedi'n gadael ac mae yna hiraeth mawr ar ei ôl.

Rargian fawr, oes.

Rhodri Glyn Thomas yn *Y Faner*

Dros fwrdd yn stafell fwyta Gwersyll yr Urdd, Llangrannog y torrais i air ag e gynta. Dwi ddim yn siŵr iawn pam ro'n i yno. Ond dwi'n cofio mai wythnos Steddfod oedd hi. Roeddem yno'n mwynhau y te traddodiadol o fara a jam. Ac fe ddechreuodd holi fy hynt a'm helynt. Dyma ddarganfod ei fod o'n hanner nabod fy nhad-yng-nghyfraith — ac roedd hynny'n ddigon. Wedi hynny aeth e ddim heibio imi unwaith heb dorri gair. Yn amlach na pheidio roedd e'n gwneud amser am sgwrs.

Roedd Gari'n ffigwr amlwg — doeddwn i yn neb. Ond doedd

hynny'n golygu dim. Roeddwn i bellach yn rhan o gylch cydnabod Gari Williams. A fydde Gari byth yn meddwl anwybyddu ei gydnabod — er eu bod nhw'n rif y gwlith.

Yn y Steddfod y byddem ni'n cwrdd gan amlaf. Ac roedd hynny'n ddadlennol iawn. Byddai ambell un yr oeddwn i'n ei nabod, neu o leiaf yn credu fy mod yn ei nabod lawer iawn yn well na Gari, yn prysuro heibio a chael cryn drafferth i gydnabod fy mhresenoldeb trwy godi llaw neu weiddi cyfarchiad. Ond nid Gari. Sgwrs hen ffrind oedd ganddo fe.

Elwyn Jones, Uwch-gynhyrchydd Radio Cymru ym Mangor a fu'n cydweithio gyda Gari am ddeuddeng mlynedd

Dwi'n credu mai'r peth mawr am Wilias oedd bod ganddo galon mor fawr. Roedd o'n garedig wrth natur ac yn gwbl ddiffuant. Chaech chi ddim gwell cwmnïwr nag o yn unman a phan fyddai o'n dod draw yma fe fyddai o'n cymysgu efo pawb.

Pan fyddwn i yn trafod gwahanol raglenni efo fo, trafod efo ffrind nid perfformiwr y byddwn i. Pan oedd pobol yn ei ffonio ar ei raglen prynu a gwerthu, roedden nhw'n anghofio eu bod nhw ar y radio. Siarad efo ffrind yr oeddent hwythau hefyd ac yn mwynhau ei gwmni.

Roeddwn i'n meddwl y byd ohono fo.

Dafydd Parry, Llandrillo yn Rhos — ffrind i'r teulu ers blynyddoedd

Y tro cynta y gwnaeth Em i mi chwerthin oedd pan ddeudodd o stori wrtha' i am ei gyfnod fel gwerthwr. Roedd o mor ddoniol yn dweud stori dyn cyffredin wrth ei waith . . . Roedd ganddo allu busnes da ac roedd ganddo'r ddawn i weld posibiliadau busnes. Pe na bai o wedi mynd yn berfformiwr dwi'n siŵr y byddai o wedi bod yn llwyddiannus ofnadwy yn y maes yna. Oherwydd diffyg amser chafodd o ddim cyfle i ddatblygu'r ddawn busnes sicr oedd ganddo.

Roedd o'n hen ffrind triw, ac yn onest ei farn bob amser.

Ni wêl henaint mo'i glownio - nid a'i hwyl
Yn dawelwch ynddo,
Yn ei ddawn, hogyn fydd o,
Yn ei wit, bachgen eto.

Myrddin ap Dafydd

Gwasanaeth o Ddiolch am Gari

Capel Seion, Llanrwst
Nos Sul, Medi 2ail, 1990

Gari'r consuriwr geiriau - a'i wên fawr
A'i fyrdd ffraethinebau;
Â'r ddawn, a ddifyrrai ddau,
Ef a lonnodd filiynau.

Gwilym Roberts

Ni wêl henaint mo'i glownio — nid â'i hwyl
Yn dawelwch ynddo,
Yn ei ddawn, hogyn fydd o,
Yn ei wit, bachgen eto.

Myrddin ap Dafydd

Gari'r consuriwr geiriau — a'i wên fawr
A'i fyrdd ffraethinebau:
Â'r ddawn, a ddifyrrai ddau,
Ef a lonnodd filiynau.

Gwilym Roberts

113

Teyrnged a ddarllenwyd gan Hywel Gwynfryn, Sulwyn Thomas a John Ogwen yn y Gwasanaeth o Ddiolch:

Y recordio ar ben, yn y stafell wisgo, roedd o'n aflonydd i gael mynd yn ôl i'r stiwdio at ei gynulleidfa. Nid i gael mwy o gymeradwyaeth ond i roi coron ar eu noson. Wedi rhoi cymaint ac yn barod i roi mwy. Allan a fo.

''Di mwynhau y'ch hunain? Iawn. Da iawn.' Y camerâu yn troi at y gynulleidfa, ac yntau wedyn yn estyn y stôl uchel ac yn ei chario i ganol y llawr, yn dal i siarad, ac yna'n eistedd, a rhoi ugain munud arall o fwynhad. Gwyddai yn well na neb y byddai'r ugain munud yna, yn rhydd o firi a symud y stiwdio yn ystod recordiad, yn aros yng nghof y gynulleidfa ar eu ffordd adref yn eu bysus a'u ceir. I gael y lluniau angenrheidiol fe fyddai deng munud wedi bod yn hen ddigon ond nid dyletswydd oedd o. Nid bod yno er mwyn y lluniau yn unig yr oedd Gari. Roedd o yno am 'i fod o *isio* bod yno. Yr oedd o hefyd yn cael mwynhad yn gwneud yr hyn yr oedd o'n 'i fedru neud yn well na neb — rhoi plesar i bobol oedd yn eistedd, yn fyw, o'i flaen. Yn cael mwynhad o'u chwerthin a gofalu eu bod nhw'n mynd adra yn chwerthin. A cherdded y filltir arall i wneud yn siŵr o hynny. Doedd dim yn ormod.

Teithio i Fangor i roi noson. Rhannu'r noson â chriw o ddiddanwyr eraill. Roedd hi'n bwrw eira y noson honno a methodd ei gyd-ddiddanwyr â chyrraedd. Dim ond y fo oedd yno — dau 'sbot' o chwarter awr i fod — ond oherwydd mai fo oedd o, rhoddodd awr a hanner o adloniant a erys yng nghof pawb oedd yn bresennol. Gofyn iddo am bunt ac yntau'n rhoddi pumpunt.

Yn y braw o glywed iddo ein gadael mor sydyn, yr oedd un peth yn gyffredin i'w gydnabod a'i gynulleidfa — y cof iddo'u gwneud i chwerthin ar gymaint o achlysuron. Ynghanol tristwch pawb yr oedd gwên atgofus — ynghanol poen, cofio'r pleser.

> Â'r sioe ar ben, er cau'r llenni — di-daw
> Yw y dorf. A glywi
> O gwr y llwyfan, Gari,
> Sŵn chwerthin dy werin di?

Eisteddai yn aflonydd wrth y meic. Darnau o bapur ymhobman a fynta yn gwbod yn union lle'r oedd pob un. Y bocsus tapiau bychan o fewn cyrraedd ei law chwith. Rhes ohonynt ar y rac a'r enw 'Gari'

114

mewn ffelt-tip ddu ar bob un. Y recordiau yn un bwndel o fewn cyrraedd ei law dde. Ond nid y gerddoriaeth i basio'r amser oedd yn bwysig, ond Bangor 361361. Y bobol ar y ffôn oedd yn bwysig.

Rhywun yn galw, a dyna ofyn yn syth sut oedd y tywydd yn fan-a'r-fan. Ac yn sydyn dyna raglen radio yn troi yn sgwrs breifat, gyhoeddus. Milltiroedd o wifren deligraff yn mynd yn fodfeddi rhwng dau tros fwrdd, tros banad. Y grefft o adnabod yn dod yn fyw. Y trafeiliwr ar ei drafals. Y trafeiliwr greddfol a wyddai mai'r cwsmer oedd yn bwysig. Y trafeiliwr prin hwnnw — y trafeiliwr gonest.

Ac wrth drafeilio, dod i adnabod gwlad a phobol. Adnabod a chofio. Dod i wybod y ffordd i fynd i bobman a'r ffordd i fynd oddi yno i bobman arall. Ar y ffordd honno yr oedd yn rhaid brysio rhag methu galwad a siomi rhywun. Doedd fiw siomi neb. Ddim hyd yn oed *radar-traps* yr heddlu! Efallai i'r ceir newid yn aml ond yr un fu'r dreifar erioed.

Wedi addo bod yno, a waeth pa mor bell y siwrnai fe wneid yr ymdrech i gyrraedd mewn pryd. On'd oedd yr achos yn achos da, a'i gefnogi mor bwysig?

Wrth y meic neu mewn canolfan ar noson 'Plant mewn Angen'. Y llygaid yn gloywi wrth restru'r symiau a gasglwyd, a throi a rhyfeddu at garedigrwydd pobol. Y chwerthin yn y llais wrth adrodd am y dulliau gwallgo ddefnyddir i godi'r arian. Wrth ei fodd. Yn ei elfen. Hanner nos yn union fel hanner dydd a'r bwrlwm yn ddi-ball. Diwrnod arall oedd yfory.

Ac yn ddieithriad byddai'r yfory hwnnw yn llawn. Yn llawn i'r ymylon.

> Gwŷs ar ôl gwŷs yn gyson, — y rhoi mawr,
> > Rhoi mwy na'r gofynion,
> A sioe ddi-hoe ydoedd hon
> Yn hawlio'i holl ofalon.

Cerddai mewn cylch aflonydd yng nghefn y llwyfan. 'Waeth faint y profiad, mae'r munudau olaf hynny rhwng camu o lwyd-dywyllwch y cefn i olau llachar blaen y llwyfan yn rhai o'r munudau annifyra ym mywyd perfformiwr. Rhoi ei law ym mhoced gesail y siwt — *double-breasted* wrth reswm — a chael cipolwg sydyn yn y llyfr bach storïau, y nodiadau, a dethol y rhai fyddai'n siwtio'r lle, yr achlysur, a'r gynulleidfa. Un smwddiad sydyn i'r siwt efo'i law dde, ac ymlaen.

Ymlaen ar ei ben ei hun. A chyn pen dim byddai'r chwerthin yn atsain dros yr adeilad, boed hwnnw yn y neuadd bentre leiaf neu'r theatr fwyaf. Nid yr adeilad na'r achlysur oedd yn bwysig ond y gynulleidfa.

Ie, ar ei ben ei hun ynghanol pobol. Swydd unig yw swydd y comedïwr. Ac eto, o'i choncro, swydd dorfol. Dweud stori wrth unigolyn sy'n digwydd bod ynghanol criw a'r dweud yn gwneud yr unigolyn hwnnw yn rhan o'r criw. A dweud stori yn aml am unigolyn, yn aml am unigolyn o Fochdre, wel, o gyffiniau Llanrwst, a hwnnw yn canu cloch i genedl gyfan. Yr ardal yn un fechan ond y map yn un mawr.

'Iawn? Da iawn.' A'r hiwmor, nid yn wirion ond yn wirionedd.

Y gwirionedd a'r didwylledd yr oedd plant yn ei weld ac yn ddi-ffael yn ymateb iddo. Pan fyddai o'n dweud 'Tyrd i fyny i fa'ma am funud i ni gael dy weld ti'n iawn', fyddai yr un plentyn yn gwrthod. Gwahoddiad cynnes oedd o. Gwahoddiad nad oedd raid bod ofn ei dderbyn.

Rhannu cyfrinachau yn gyhoeddus fyddai plant efo fo. Ei weld o fel ffrind, fel brawd mawr, yn gweld y byd trwy'r un llygaid, yr un llygaid diniwed, gonest. Ac yna i'r boced i roi yn llaw y plentyn ddarn o arian. Ac nid darn bach fyddai o chwaith. Roedd o wedi gneud yn siŵr o hynny yn y stafell wisgo cyn dechrau'r sioe.

> I'n distawrwydd di-stori — a phoenau
>   Gorffennaf dy golli
>   Y wên hael, o gad i ni
>   Waddol d'anfarwol firi.

(Englyn o ornest Ymryson y Beirdd yn y Babell Lên yn Eisteddfod Genedlaethol Cwm Rhymni 1990 yw'r cyntaf a ddyfynnir gan dîm Gweddill Cymru; mae'r ail yn eiddo i John Ogwen a'r trydydd i'r Parch. John Gwilym Jones.)

Gari

Fe erys y cyfaredd ac afiaith
   Wrth gofio'i arabedd
   Er rhoi'r hiwmor i orwedd,
   Gari heb winc is gro bedd.

Seren wib heb surni i'w hynt, stŵr awel
   Ei storïau'n hafwynt
   Difalais i'n goglais gynt,
   A'r wên cyn y dwyreinwynt.

Ar do iau bwriai'r dewin fêl yr hud
   Fel rhwyd Pibydd Hamelin,
   A'i wyrth oedd cael i chwerthin,
   Er eu croes, y gwael a'r crin.

Fe aeth o Gymru'r caethion un addfwyn
   A leddfai'n harchollion
   A'i eli rhag tor calon,
   Gwin hwyl iach gynhaliai hon.

O ddwyn haul ei ddoniolwch, mor anodd
   Fu rhoddi i ddüwch
   Y grafel ei ddigrifwch,
   Tyner lais tenor i lwch.

Ond er colli comedïwr a'i ffars,
   Deil ffydd y crediniwr
   Nad hirfain gell terfyn gŵr,
   Diwedd enaid diddanwr.

Emrys Roberts

Cyngerdd er cof am ddiddanwr

BYDD CYNGERDD arbennig yn cael ei gynnal heno (Nos Sadwrn) i gofio am y diddanwr poblogaidd Gari Williams, a fu farw rai misoedd yn ôl.

Mae'r cyngerdd, sydd i'w gynnal yn Y Ganolfan ym Mhorthmadog wedi ei drefnu ar y cyd gan Ysgol Eifionydd, Porthmadog, ac Ysgol Hafod Lon, Y Ffôr, ac mae'r holl artistiaid fydd yn ymddangos yn rhoi eu gwasanaeth yn rhad ac am ddim.

Ymhlith y rheini bydd Bryn Fôn a'i gyfeillion, y diddanwr Ifan Gruffydd, y gantores Rhian Owen o Lanberis, dynwaredwraig ifanc o'r enw Rhian Elena, Lleisiau'r Gest, ac Arfon Wyn a'i Gyfeillion.

"Mi ddaru ni benderfynu trefnu'r cyngerdd yma gan fod Gari wedi bod yn dda iawn hefo ni fel ysgol ar hyd yr adeg," meddai Arfon Wyn, Prifathro Ysgol Hafod Lon.

"Dwi'n cofio ni'n trefnu cyngerdd yn yr ysgol tua dwy flynedd yn ôl, a Gari'n cadw ei addewid i ddod yno, er gwaetha'r ffaith ei fod o'n swp sâl."

"Dyna'r math o foi oedd Gari, ac mae'n iawn i ni dalu'r deyrnged yma iddo fo."

Mae'r ysgol hefyd wedi

Ysgolion yn talu teyrnged i Gari

THEATR TYWYSOG CYMRU
Bae Colwyn

Cyngor Bae Colwyn yn cyflwyno

COFIO GARI

gyda

Trebor Edwards

Trisgell, Genod Ty'r Y...

Cyflwyn...

Nos

Tocynnau £4
Yr Elw tuag at Ysgo...

THEATR YR ARCADIA, LLANDUDNO
Nos Sadwrn, Ebrill 20ed, 1991

am 7.30

Cyngerdd i Gofio Gari

...yr un
...ari

TOCYN : £6.00

TRI CHWECH UN
TRI CHWECH UN

Pafiliwn Eisteddfod Genedlaethol Bro Delyn
Yr Wyddgrug — **Nos Wener, Awst 2, 1991**

Drysau'n agor am 7.30 — i ddechrau am 8.00 o'r gloch.
Yr elw i gyd at Gronfa Gari   i goffau un o'n digrifwyr anwylaf.

BLOC	RHES	RHIF SEDD
D	CH	№ 02

CRONFA

GARI
Cyngerdd
i'w gofio

THEATR YR ARCADIA, LLANDUDNO
Nos Sadwrn, Ebrill 20ed, 1991
am 7.30 p.m.

Cyngerdd i Gofio Gari

Yr Elw at Gronfa Gari - Rhaglen £1.50   Rhif 0001

COFIO GARI

Fel un â oedd yn ennill ei fywoliaeth trwy ddiddori cynulleiafaoedd, roedd Gari yn ymwybodol o'i gyfrifoldeb at bobol. Roedd ganddo amser o hyd i sgwrsio â phawb - ac yn mwynhau hynny. Yn aml rhoddodd o'i amser trwy ymddangosiadau at achosion da.

Roedd yr agwedd yma i helpu eraill yn wir gyda'i gyd-weithwyr hefyd, roedd gan Gari yr amser pob tro i'r actor ifanc neu'r canwr di-brofiad i'w helpu yn y 'busnes' chwedl Gari.

Mae golwg ar y rhestr o artistiaid heno yn dyst o hyn, pob un o'r artstiaid wedi cyd-weithio â mab hynaf Mrs. Williams, ac wedi elwa o hynny.

Gobeithio, gyda chymorth CRONFA GARI, y bydd eraill yn y dyfodol yn elwa o'i gymorth hefyd - dyna'r rheswm pennaf yr ydym ni gyd yma heno i GOFIO GARI.

Yng nghwmni

Broc Môr   Idris Charles   Glan Davies
Trebor Edwards   Hefin Elis a'r Band
Gillian Elisa   Mike England   Genod Ty'r Ysgol
Y Brodyr Gregory   Mari Gwilym   Hywel Gwynfryn
Phylip Hughes   Dafydd Iwan   Mark Jayson
Dora Jones   Huw Jones   Stewart Jones
Eleri Llwyd   Hogia Llandegai   Sioned Mair
Ieuan Rhys (Pobol y Cwm) Maureen Rhys
Marian Roberts   Sue Roderick   Rosalind a Myrddin
Alwen ac Owain Selway   Trefor Selway
Myfanwy Talog   Sulwyn Thomas   Orig Williams
Hefin Wyn   Hogia'r Wyddfa   Criw C'mon Midffild

BAE COLWYN ◆ LLANGERNYW ◆ Y RHYL ◆ BETWS-Y-COED

GŴYL Y Glannau

PRIF NODDWYR YR ŴYL

CRONFA GARI a Colwyn

'GLANNAU' CHWE...

Rhaglen yr Wythnos

◆ Nos Lun, Mai 2ail. **THEATR COLWYN, BAE COLWYN** am 7.30 o'r gloch
ALWYN SION yn cyflwyno DYFAN ROBERTS, JOHN AC ALUN, IEUAN RHYS,
RHIGWM ac eraill.

> Noddir y noson gan
> **TONFEDD**

◆ Nos Fawrth, Mai 3ydd. **GWESTY TAYLORS, BAE COLWYN** am 8 o'r gloch
GWNEUD E'N SEFYLL LAN gyda DANIEL GLYN, GARI SLAYMAKER, GETHIN THOMAS, JÂMS THOMAS a
LEYTON JOHN.

◆ Nos Fercher, Mai 4ydd. **THEATR COLWYN, BAE COLWYN** am 7.30 o'r gloch RIFIW a
noson o sgetsus gyda chriw y rhaglen radio **DRWG YN Y CAWS, LLANAST** ac eraill.

> Noddir y noson gan
> **T A C**

◆ Nos Iau, Mai 5ed. **CANOLFAN BRO CERNYW, LLANGERNYW** am 7.30 o'r gloch
BEIRDD A GOGO - 3 tîm o feirdd adnabyddus gyda'r Meuryn ei hun Gerallt Lloyd Owen yn cadw trefn.

◆ Nos Wener, Mai 6ed. **THEATR COLWYN, BAE COLWYN** am 7.30 o'r gloch
NOSON 'DA DAI - DAI JONES i'ch diddanu yng nghwmni rhai o'i ffrindiau hen a
newydd.

> Noddir y noson gan
> **PENTRAETH**
> **AUTOMOTIVE**

Parti Arall o Lanuwchlyn, Gillian Elisa, Nigel Owen a 2 neu 3 o wynebau newydd.
Yn ystod yr ail hanner bydd Dai yn edrych yn ôl er ei yrfa fel cyflwynydd teledu gyda chymorth clipiau oddiar
ei gyfres poblogaidd **CEFN GWLAD.** (Gyda Chyd-weithrediad HTV ac S4C.)

◆ Pnawn Sadwrn, Mai 7fed. **RHAEADR EWYNNOL, BETWS Y COED** am 1.00 o'r gloch. **CAIS AM JÔC!**
Sioe hollol hamddenol a gwahanol yn llawn hwyl gyda chyfle i aelodau o'r gynulleidfa ymuno yn y gweith-
gareddau trwy ddod i'r llwyfan i ddweud joc neu ddwy. Wnewch chi fentro? I ddilyn am 3 o'r gloch, mae
croeso cynnes i unrhyw un sy'n dymuno aros i fwynhau Ffeinal Cwpan SWALEC yn fwy ar y teledu fel gwest-
eion y gwesty.

◆ Nos Sadwrn, Mai 7fed. **THEATR Y PAFILIWN NEWYDD. Y RHYL** am 7.30 o'r gloch
"THRYL" YN Y RHYL gyda HYWEL GWYNFRYN A GLAN DAVIES yn cyflwyno
CARYL PARRY JONES, IFAN GRUFFYDD, Y BRODYR GREGORY, LLION WILLIAMS, TONI CAROLL a GLYN
OWENS.

Croeso i'r Ŵyl

Chafodd yr un ŵyl erioed well enw! Gŵyl y Glannau! Ydi, mae Bae
Colwyn, os nad Mochdre, ar lan y môr, ond y 'glannau chwerthin' yn y
teitl sy'n bwysig. Pa well ffordd i gofio Gari na'n bod ni gyd yn
chwerthin am wythnos?

Blynyddoedd o chwerthin roddodd Gari inni.

A fo fasa'r cynta i ymfalchïo mewn gweld rhes o dalentau ifanc yn
cael eu cyfle. Cofiaf yn dda y ddau ohonom yn eistedd i wrando ar
hogyn ifanc yn deud straeon un noson. Yr oedd wrth 'i fodd ac yn fawr
ei ganmoliaeth. Yn hael ei gyngor hefyd. Yr oedd wedi bod yn yr un
sefyllfa'i hun ac yn gallu rhannu'r profiad.

Fel un a fu wrth ei ochor ar lwyfan ac hefyd fel un a fu'n eistedd o'i
flaen mewn cynulleidfa, medraf ddweud mai'r hyn roddai'r pleser
mwyaf iddo oedd gweld a chlywed y bobl yn mwynhau. Rydan ni'n ôl
at y 'glannau' eto. A dyna yn sicr fyddai Gari am i ni wneud yr wythnos
yma. Mwynhau! Mwynhau pob munud. Pan ddaw hi'n nos Sadwrn mi
fedra' i 'i glywed o'n gofyn 'Wnaethoch chi fwynhau?' Atebed pawb yn

gadarnhaol ac mi glywa' i y geiriau 'Iawn? Da iawn' yn atsain o bell. Mae'n braf cael dod yn ôl i'r lan weithiau.

John Ogwen,
Cadeirydd 'Cronfa Gari'

Gair o Groeso

Mae Cymru wedi cael rhan helaeth o actorion comedi, a teg fyddai dweud bod Gari Williams wedi cymryd ei le ymysg y goreuon a gawsom erioed. Clodwiw a chymeradwy ymysg yr ymdrech hon gan Elwyn, ei frawd, ac amryw o'i gyfeillion ym myd adloniant, i'w goffáu wrth roddi cyfle i eraill ymarfer eu doniau ar lwyfan.

Pleser felly yw croesawu'r Ŵyl ar ran y Cyngor. Cofier mae Gŵyl Gomedi i Golwyn gyfan ydi hon. Colwyn gyfan cefnogwch hi.

Y Cynghorydd Gwilym Richards,
Cadeirydd Is-Bwyllgor Gweithgareddau Cymreig

Gari — Atgofion

Chwerthwch, da chi, i gofio Gari.

Os nad yw'r cof yn chwarae triciau, bore o wanwyn oedd hi. Dangosiad i'r wasg o raglen yn un o'r cyfresi agos-atoch lle'r oedd Gari heb unrhyw falais yn tynnu coes gyda'i strociau pryfoclyd.

Pobl digon di-hiwmor (pan wrth eu gwaith) ydi pobol y wasg, ac ar y bore hwnnw, roedd yn rhaid inni fynd allan o'r stiwdio mewn bws oedd wedi ei logi'n arbennig, er mawr ddryswch inni. Ond fe ddatgelwyd y cyfan yn y man. Nid ar gyfer y rhaglen y darparwyd y bws ond er mwyn trefnu strôc tu mewn i strôc fel petai — y math o jôc yr oedd Gari yn arbenigo ynddynt.

Rhywle tu allan i'r Felinheli, stopiwyd y bws a chamodd heddwas i mewn iddo yn hollol hyderus ac awdurdodol gan gyhuddo rhyw gamwedd neu'i gilydd. Doedd neb yn rhy sicr a oedd y ffasiwn gamwedd yn bod, na chwaith yn hollol argyhoeddedig na fuasai raid inni gerdded ddwy filltir neu dair yn ôl at ein ceir. Yr ansicrwydd oedd yn anrheithio. Roedd rhai ohonom yn amau'r plismon rywfodd, ond roedd ei wisg yn iawn, (a deud y gwir yn rhy gywir i fod wedi dod o fasged unrhyw *gostiwmier*). Roedd ei iaith yn iaith plismon hefyd — roedd hwn yn amlwg yn gwybod y gyfraith, ac yn gwybod sut i fod yn awdurdodol. Ac yno yn y canol, heb unrhyw arlliw o wên ar ei wyneb, yr oedd Gari, yn dawel fwynhau ein hanesmwythdod, nes, gyda'r amseriad perffaith hwnnw oedd mor nodweddiadol o'i gomedi, dadlennwyd y cwbl — ac yr oedd yno fel arfer dwist bach yn y cynffon — oedd, roedd y plismon yn un go iawn, bellach wedi ymddeol o'r heddlu ond yn dal yn berchen ar ei wisg, ac yn anad dim, ei helmet!

Y tro hwn, nid y jôc ei hun oedd y peth pwysig, ond y ffordd y'i gosodwyd hi, a'r amseru perffaith ar y diwedd i gael y gwerth eithaf allan o dric digon cyffredin. Gwelsom y bore hwnnw agwedd arall ar y bersonoliaeth fawr a aeth â Gari i uchelfannau comedi Gymreig — crefft a hogwyd ar lwyfannau eisteddfodau a nosweithiau llawen yn festrioedd a neuaddau plwy cefn gwlad Cymru, 'gigs' Emyr ac Elwyn ac yn unigryw bron i gomedïwr Cymraeg, yn yr ysgol galed honno — clybiau nos a chlybiau gweithwyr Gogledd Lloegr.

Mewn un ffordd mae'r ddwy gynulleidfa yr un mor anfaddeugar —

ni roir ail gynnig i ddigrifwr nad yw'n ddigrif yn y naill na'r llall. Mae'r clybiau nos yn dangos eu hanfodlonrwydd ymhen ennyd neu ddau — ond diffyg gwahoddiad i ddod yn ôl eilwaith yw ymateb y nosweithiau llawen Cymreig. Mae'r naill mor greulon â'r llall.

Ond roedd agwedd arall i Gari Williams, meistrolodd ef y ddwy gynulleidfa, a hefyd rai'r radio a theledu. Yn rheiny mae'r botwm i droi i sianel arall yn llawer rhy gyfleus i'r anoddefgar. Ond pwy fyth a anghofia ei arabedd di-sgript ar yr Ocsiwn, neu'r triciau ar y bocs. Ychydig cyn diwedd ei oes, mater o wythnosau, roeddwn ym Modedern i'w weld yn mentro ar antur arall. Sioe lwyfan un dyn ydoedd, cyfrwng anodd iawn i unrhyw berfformiwr sydd heb arfer perfformio i gynulleidfa theatr gyda'i hamodau gwahanol.

Fe ŵyr digrifwyr yn dda bod pob cynulleidfa yn wahanol, ond rhywbeth hollol wahanol i bob digrifwr yw perfformio am ddwyawr yn sôn am ei fywyd ei hun i bobl nad ydynt yn hollol sicr beth i'w ddisgwyl. Mae rhai yn sicr yn gobeithio clywed ribidires o storïau, bob un â'i chlo yn taro deuddeg; eraill hwyrach yn disgwyl rhywbeth â mwy o sglein arno.

Beth gawsom ni ar y noson gyntaf honno, oedd Gari. Hwyrach mai hwn oedd perfformiad anoddaf ei yrfa, ond gan iddo lwyddo, efallai mai hwn a ddaeth â'i yrfa i'w brig.

Oedd, roedd yno bathos, roedd yno hwyl, roedd yno sglein, ac ar ben y cwbl dyn yn dadlennu ei hun i'w gyhoedd. Tra oeddem yn cael ein diddori a'n difyrru, agorwyd ein llygaid i gymeriad oedd yn mwynhau ei waith, yn dibynnu ar yr adwaith rhwng perfformiwr a chynulleidfa, ac wedi dysgu a hogi'i ddawn gynhenid o amseru ac o 'gapio' jôc gyda chlec arall annisgwyliadwy.

Fel y dywedais, noson gyntaf oedd hi, ond fuasai neb oedd yn ymwybodol o hynny byth wedi deall — roedd y perfformiad yn orffenedig a chrefftus drwyddo draw.

Wn i ddim faint gostiodd y perfformiadau hynny a'r rhediad o fis iddo — rhyw dybio yr ydw i nad yw'r fath waith byth yn digwydd heb lawer o waith cartref — nid yw unrhyw berfformiwr yn cyrraedd pen ei ysgol broffesiynol heb fod yn berffeithydd, a golyga hynny lawer o hunan ddisgyblaeth, ac ymarfer.

Welais i mo'r sgript — wn i ddim a oedd yno un gorffenedig o gwbl — ond yr oedd ôl gwaith, ôl hogi, ôl golygu a pherffeithio ar y perfformiad drwyddo draw. Dyfais rhai sy'n ymarfer y celfyddydau cain i arddangos datblygiad arlunydd yw'r sioe 'retrospectif' ac i ni gafodd y fraint o weled y sioe honno gan Gari, dyna ydoedd, retrospectif o yrfa gŵr â dawn arbennig yn datblygu ac yn agor allan i'w lawn dwf.

Ymhen ychydig wythnosau yr oedd yr yrfa ar ben, a'r llais wedi ei dawelu am byth, ond am fyr ennyd, gloywodd a goleuodd fywyd cenedl gyfan. Pa well beddargraff i unrhyw ddyn na hynny.

Iorwerth Roberts
Daily Post

Cronfa Gari

Yr oedd Gari wedi mentro i faes diddanu cynulleidfaoedd ac wedi dysgu ei grefft mewn ysgol brofiad arch-feirniadol. Roedd torf noson lawen yn ei ddwylo o fewn eiliadau am iddo orfod hefyd ddysgu ennill calonnau mynychwyr y clybiau a'r cabaret.

Bwriad y Gronfa felly yw hybu rhai sy'n mentro i faes adloniant ysgafn yng Nghymru, yn arbennig perfformiadau o flaen cynulleidfaoedd. Mae'n faes eang ac anodd ei ddiffinio'n iawn ac ychydig iawn o hyfforddiant ffurfiol ellir ei gynnig mewn rhannau ohono. Efallai nad oes 'na ysgol i gomedïwyr unigol, ond mae unrhyw hyfforddiant sy'n cyfoethogi profiad artist — boed yn gwrs coleg, astudiaeth o gomedi mewn gwledydd eraill neu gefnogaeth i gyfres o nosweithiau adloniadol — yn dod o fewn cyrraedd cronfa fel hon.

Dyma yw un o amcanion Cronfa Gari, sef cynnig cefnogaeth ariannol i unigolyn neu unigolion sy'n dymuno canolbwyntio ar adloniant byw o flaen cynulleidfa Gymraeg. Gan fod eisoes wobrau ac ysgoloriaethau ym maes cerdd, clasurol a chyfoes, a gwaith theatr a llwyfan, barnwyd y dylai'r gronfa hon roi blaenoriaeth i adloniant ysgafn — yn waith ymarferol neu'n astudiaeth o eraill sy'n ymarfer eu dawn.

Mae'r Gronfa wedi ei chofrestru fel elusen ac yn cael ei gweinyddu gan ymddiriedolwyr.

Sut mae gwneud cais am ysgoloriaeth? Ysgrifennwch at Gronfa Gari, d/o TAC, Gronant, Penrallt Isaf, Caernarfon, Gwynedd LL55 1NS, gan roi amlinelliad o'ch cais — un ai drosoch eich hun neu unigolyn arall a allai gael budd o'r gronfa.

Bywgraffiad byr

- Ganed Emyr Pierce, mab hynaf Mr a Mrs Harri Pierce a Nance Williams, ym Mrynrhydyrarian ger Llansannan ar Fawrth 10fed, 1946.

- Symudodd y teulu i Lanrwst yn 1956.

- Cychwyn perfformio yno — yn y capel, gyda'r Urdd a phantomeim y *Girl Guides*!

- Symudodd y teulu i Fochdre ger Bae Colwyn yn 1963.

- Ymaelododd â Chlwb Ffermwyr Ieuainc Bryn Pydew. Yno y cyfarfu â Hafwen Jones o bentref Glanwydden gerllaw a ddaeth yn Hafwen Williams maes o law.

- Ionawr 1969 — Emyr ac Elwyn yn cychwyn perfformio ar lwyfannau.

- Mai 17eg, 1969 — Priodi gyda Hafwen.

- Rhagfyr 1971 — Agor Canolfan Gerdd Emyr ac Elwyn ym Mae Colwyn.

- 1974 — Emyr yn troi'n berfformiwr proffesiynol.

- Ionawr 1af, 1977 — Ganed merch i Hafwen a Gari — Nia.

- 1978 — Datblygu'r ddeuawd i fod yn 'Gari Williams a'i griw'.

- Rhagfyr 4ydd, 1979 — Ymddangosiad cyntaf Edgar Sutton ar 'Bobol y Cwm'.

- 1982 — Cyfres gyntaf 'Galw Gari' ar S4C gyda 'Rargian Fawr' (3 cyfres) yn dilyn.

- Ebrill 24ain, 1988 — Ganed mab i Hafwen a Gari — Guto.

- 1990 — 'Cyfres Galw Gari 4' oedd y gyfres gyntaf i ddefnyddio stiwdio newydd Barcud yng Nghaernarfon.

- Gorffennaf 18fed, 1990 bu farw yn Ysbyty Walton, Lerpwl yn 44 oed.